Bonne lecture
pérot chéri

Je t'aime

Edouard

LE PLUS GRAND DÉFI DE L'HISTOIRE DE L'HUMANITÉ

Aurélien Barrau

LE PLUS GRAND DÉFI
DE L'HISTOIRE
DE L'HUMANITÉ

Face à la catastrophe écologique et sociale

Nouvelle édition augmentée

© Éditions Michel Lafon, 2020
118, avenue Achille-Peretti – CS 70024
92521 Neuilly-sur-Seine Cedex

www. michel-lafon.com

*À tous les vivants qui vont souffrir
de notre inconséquence. Avec honte.*

PRÉFACE

Ce petit fascicule est une édition enrichie et mise à jour du livre qui faisait suite à l'appel, signé par 200 personnalités (scientifiques, artistes, philosophes, écrivains), que j'ai lancé dans le journal Le Monde *du 3 septembre 2018, avec l'actrice Juliette Binoche que je remercie ici très chaleureusement.*

Je suis astrophysicien et pas écologue. Ce livre n'a donc pas prétention à l'exhaustivité ou à la rigueur universitaire. C'est en tant qu'habitant de la Terre et membre de la tribu des vivants que je tente ce cri d'alerte, parmi tant d'autres plus savants et plus approfondis. Je n'ai aucune autre légitimité à dessiner un « plan d'action » concret et précis pour sauver le monde.

Aux constats, je tente néanmoins d'adjoindre quelques ébauches de solutions et de réflexions possibles. Elles ne constituent en rien un programme clés en main et les propositions ne sont que des pistes envisageables.

Je n'entends nullement me substituer aux experts et je ne me considère pas comme exemplaire dans mes comportements. Il n'est certainement pas question pour moi de me poser ici en « donneur de leçons », bien au contraire. Le propos est naïf et je l'assume comme tel. Mais, en tant que citoyen, je pense fermement qu'il est vital de porter par tous les moyens possibles la question cruciale ici évoquée au cœur du débat public et au centre de l'action politique.

Mes collègues climatologues et biologistes sont désespérés. Ils ne savent plus comment exprimer la gravité de la situation. Ils ne savent plus quoi faire pour être entendus.

Cette maigre contribution n'a pas d'autre objectif que de presser le pouvoir politique à prendre ses responsabilités : des mesures fermes, fortes et immédiates. Elle engage également chacun d'entre nous à opérer une évolution – ou révolution – dans son rapport à la nature, aux animaux et à la planète.

À n'en pas douter, certains trouveront ces propositions trop radicales et audacieuses, d'autres les jugeront trop timides et frileuses. Peu importe : qu'elles soient surtout l'un des multiples déclencheurs de la réflexion qu'il est urgent de mener. Et, surtout, de l'action qui doit immédiatement en découler. Il faudrait s'engager avec ferveur mais, à l'inverse, on observe aujourd'hui une incroyable levée de boucliers des forces de réaction.

Je ne sais pas s'il fallait écrire ce texte. Finalement, il ne dit rien de très original. Il contribue même un peu à la pollution par son existence même. Mais, face à la fin du monde, ne rien faire me semblait pire encore. Cet infime ouvrage s'inscrit dans un geste de « dernière chance », comme une supplique aux pouvoirs publics : ne pas considérer l'écologie comme la priorité majeure de ce temps relève du « crime contre l'avenir ». Ne pas opérer une révolution dans notre manière d'être relève du « crime contre la vie ».

Il est temps de regarder en face l'agonie de notre monde et d'être un peu sérieux.

LE CONSTAT

Nous faisons face à une situation sans précédent. L'avenir est en danger. Aucune espèce vivante ne s'était encore comportée comme les humains dans toute l'histoire de la Terre. La possibilité d'un futur fait maintenant question pour nous. L'enjeu est immense et multiple : il concerne tous les vivants et doit être pensé suivant le double prisme de l'espèce et de l'individu.

L'âge de la Terre est presque égal à la moitié de celui de l'Univers. Notre planète est vieille. Elle a connu une histoire tourmentée et mouvementée. De la condensation gravitationnelle des poussières primitives aux bombardements météoritiques intenses, ses débuts ont été agités.

Mais la vie est apparue assez rapidement, il y a près de 4 milliards d'années. Au sein des sources chaudes, la matière a exploré cet état spécifique – peut-être singulier – si difficile à définir et pourtant si évident à identifier lorsqu'il se présente. On ne sait pas très bien ce qu'est la vie. On peut échafauder des définitions. Mais une vie extraterrestre satisferait-elle à ces définitions ? Et si ce n'était pas le cas, comment saurions-nous alors qu'il s'agit bien de vie ?

Beaucoup de magie et de mystère entourent encore le vivant. Ou plutôt : les vivants. Les chemins empruntés par la vie sont si diversifiés, inventifs, imprévisibles qu'ils ne cessent de surprendre et d'émerveiller ceux qui les explorent. Des trésors d'ingéniosité et de beauté qui émeuvent autant qu'ils émerveillent sont quotidiennement découverts. Il n'est pas nécessaire d'aller en Antarctique observer les manchots : chaque mètre carré de prairie recèle des dizaines de spécimens d'insectes dont une simple loupe révèle la complexité de structure et la subtilité de comportement. Cet immense édifice dont chacun de nous est l'un des membres, résultant d'une très longue et très lente évolution, est éminemment fragile. Et il est gravement menacé. Il est même déjà en train de s'écrouler.

L'humanité elle-même est touchée de plein fouet par les ravages dont elle est pourtant la cause. Une large moitié de la surface terrestre, regroupant plus des deux tiers de la population humaine, subit une telle perte de biodiversité qu'il n'est plus évident qu'elle puisse matériellement continuer à subvenir aux besoins des hommes. Ce qui n'est, de plus, pas sa seule finalité.

Procédons à un rapide panorama lacunaire, partiel et désordonné. Commençons par regarder tous azimuts où nous en sommes.

La Terre est peuplée d'environ 10 millions d'espèces vivantes. Chacune est issue d'une histoire unique pleine de rebondissements et d'imprévus.

La sixième extinction massive de l'histoire de la Terre est en cours. Il n'y a plus de doute à ce propos. Récemment, deux chercheurs du CNRS ont analysé 13 000 articles publiés dans les plus grandes revues de biologie de conservation (impliquant plus de 100 000 scientifiques) et le résultat est parfaitement clair, sans aucun doute possible quant à la catastrophe en cours : la vie se meurt et la tendance actuelle est à l'accélération de ce processus déjà étonnamment rapide. Elle n'épargne aucun groupe, des oiseaux aux insectes en passant par les mammifères et les poissons.

En 40 ans, plus de 400 millions d'oiseaux européens ont disparu. Et plus de 3 milliards aux États-Unis. À l'échelle de la Terre, c'est environ la moitié des populations d'espèces sauvages qui a périclité. Bien que certaines zones soient plus concernées que d'autres, la tendance à une diminution drastique se vérifie partout.

Les rapports du GIEC (Groupe d'experts intergouvernemental sur l'évolution du climat) de la biodiversité estiment que les disparitions d'espèces ont été multipliées par 100 depuis le début du XXᵉ siècle. Et, en parallèle de cette alarmante atrophie de diversité du vivant, on note une diminution draconienne des populations. Même quand l'espèce n'est pas encore éteinte, les animaux meurent. Depuis 1990, le nombre d'insectes volants a chuté de 80 % en

Allemagne. Il ne reste que quelques milliers de guépards, le nombre de lions a été divisé par deux en 30 ans, les orangs-outangs sont en danger critique. En seulement 11 ans, plus d'un tiers des chauve-souris a disparu.

L'hécatombe est d'une ampleur terrifiante.

La disparition d'une espèce, au sens strict, demande qu'il ne reste plus un seul spécimen la représentant, pas même dans un zoo. Bien que cette définition soit très restrictive, les disparitions sont nombreuses et leur rythme ne cesse d'accélérer. Mais ce n'est pas le critère le plus pertinent à ce stade : il y a surtout de moins en moins de vivants sur Terre. Cette « disparition de la vie » est parfois désignée par les scientifiques spécialistes comme un « anéantissement biologique ». Les populations s'effondrent. Certaines études concluent que le nombre de vertébrés a diminué de 60 % depuis 1970. La situation de beaucoup d'invertébrés est pire encore. C'est bien un crime de masse global qui est en train d'être perpétré en toute impunité.

Chaque année, la surface des villes progresse d'environ 400 millions de mètres carrés. La déforestation à des fins agricoles est plus inquiétante encore. À l'échelle mondiale, seul un quart des terres a échappé aux effets substantiels des activités humaines. Il n'en restera plus que 10 % dans 30 ans, en grande partie dans les déserts, montagnes et régions polaires.

La pollution tue probablement environ trois fois plus d'humains que le sida. Elle cause environ 6 millions de morts par an et progresse notablement, en particulier dans les pays pauvres et les lieux en développement industriel rapide.

Aujourd'hui, 17 pays sont en situation de « stress hydrique extrême » et 27 autres, dont certains en Europe, sont en situation de « stress hydrique élevé ». Pas moins de 25 % de la population mondiale pourrait bientôt manquer d'eau.

En une seule journée de l'été 2019, plus de 11 milliards de tonnes de glace ont fondu au Groenland. Tandis que le même été voyait les incendies dévastateurs en Amazonie augmenter de 83 %.

Entre 100 et 200 mètres de profondeur sur le grand plateau continental, il ne reste que 1 à 2 % des populations de poissons d'antan.

Une bonne partie de la grande barrière de corail – un lieu à juste titre emblématique de la biodiversité – est en voie avancée de disparition. Les mangroves reculent rapidement. Des surfaces immenses de fonds marins sont dévastées par l'exploitation minière.

La fonte des glaciers de montagne va d'abord donner trop d'eau douce, puis rapidement beaucoup trop peu, à environ 2 milliards de personnes qui en dépendent directement.

La phénologie des végétaux est en plein bouleversement et contribue à l'effondrement de la diversité de la flore. Cette chute augmente en retour le réchauffement climatique : lorsque le nombre d'espèces diminue, la teneur en azote des sols augmente, ainsi que leur température moyenne. Les effets en cascade se multiplient.

Les plantes disparaissent 350 fois plus vite que la norme historique.

Plus de 15 milliards d'arbres sont éradiqués tous les ans et il ne reste que 46 % de ceux que la Terre comptait avant le début de l'agriculture.

Environ 1 000 milliards d'animaux marins sont tués chaque année. Lors de la remontée des filets, la décompression fait éclater la vessie natatoire, sortir les yeux des orbites et, souvent, l'estomac s'extrait par la bouche. Les survivants meurent lentement, asphyxiés ou écrasés, alors même que les capacités cognitives et sensorielles des poissons ne permettent plus de douter qu'ils ressentent la douleur. De nombreuses espèces sont menacées. Les filets de pêche raclent aujourd'hui 30 millions de kilomètres carrés d'eaux marines. Ils détruisent sans distinction et sans relâche.

Rien qu'en 2016, il y eut 40 millions d'heures de pêche industrielle effectuées par des navires ayant consommé 19 milliards de kWh et parcouru 460 millions de kilomètres (soit plus de 35 000 fois le diamètre de la Terre). Les trois quarts de la surface des océans sont concernés.

Les poissons d'eau douce disparaissent plus vite encore et le déclin des populations est estimé à environ 4 % par an. Durant les 40 dernières années, les grandes espèces ont vraisemblablement décliné de 88 %. Et, à ce jour, 3 700 barrages majeurs sont en construction ou en projet. Ils constituent l'une des causes essentielles de cet affaissement.

Il semble que la biomasse du zooplancton soit également en chute rapide, avec des incidences majeures sur l'ensemble de la chaîne.

De récents prélèvements sur des poussins de mésange morts en Belgique ont montré que 95 % des échantillons étaient contaminés aux pesticides. Plus de 36 types différents y ont été décelés, y compris du DDT pourtant interdit depuis des décennies.

Que ce soit au niveau des espèces ou à l'échelle des individus, la vie sur Terre est donc en péril. Les humains représentent 0,01 % des créatures vivantes, mais ont causé 83 % des pertes animales depuis les débuts de la civilisation. Une situation génocidaire d'une ampleur sans précédent. Qui, de plus, commence à profondément nuire aux humains eux-mêmes.

La première cause de cette atteinte à la vie (puisqu'il ne s'agit pas que de la biodiversité au sens comptable) est certainement la disparition et le morcellement des espaces habitables pour les non-humains. La barre des 75 % de terres émergées endommagées par les humains a été franchie. Les animaux n'ont plus de lieux pour vivre. L'omniprésence de l'homme et de ses infrastructures est telle que certaines espèces diurnes vivent maintenant la nuit, pour se redonner un peu de liberté. L'expansionnisme humain démesuré est la cause première du déclin des autres formes de vie. Par exemple, 95 % des prairies d'herbes hautes d'Amérique du Nord et 50 % de la savane tropicale sont devenues des zones entièrement « humanisées ». La tendance s'accélère et se généralise presque partout.

Les autres causes d'effondrement du vivant sont également connues : des espèces invasives sont parfois introduites et leurs effets peuvent être létaux pour d'autres animaux, la surexploitation des ressources a des conséquences dramatiques, la pollution induit des effets dévastateurs à court et à long terme. Sans mentionner les effets « en chaîne » (l'extinction d'une espèce entraînant la disparition de celles qui en dépendaient vitalement). L'agriculture intensive et les pesticides jouent également un rôle central dans la chute vertigineuse de la biodiversité.

Le dérèglement du climat n'est donc pas – tant s'en faut – le seul motif de préoccupation alarmant. Il n'en demeure pas moins évidemment un aspect essentiel de la catastrophe écologique en cours et il jouera un rôle de plus en plus important. Les dernières études publiées viennent corroborer ce qui est déjà su depuis longtemps : il y a bien un réchauffement climatique global et il est causé par l'homme (en termes statistiques, la probabilité que l'on se trompe dans cette assertion est inférieure à 0,0005 %). Cette évolution des températures est alarmante parce qu'elle se produit sur des échelles de temps beaucoup trop courtes pour que les organismes vivants puissent s'adapter comme ils l'ont parfois fait dans le passé. Nous sommes face à une singularité sans précédent.

Il est à ce jour délicat de quantifier précisément l'amplitude du réchauffement à venir. Mais les mises à jour successives vont dans le sens d'une aggravation par rapport aux premières estimations et un effet d'emballement n'est plus à exclure. Des réactions en chaîne incontrôlées vont prendre naissance et faire s'effondrer l'équilibre précaire du fonctionnement planétaire. Dans tous les cas, les conséquences se traduiront par une montée des océans, une fonte importante de la banquise et des calottes polaires, un engloutissement des îles et des villes côtières, des incendies fréquents et dévastateurs, des extinctions massives d'espèces dans toutes les branches du vivant, un développement notable de certaines maladies graves, une progression des cyclones, tempêtes et inondations, des pics de chaleur destructeurs associés à une avancée importante des déserts et une chute conséquente des populations animales.

Les derniers calculs en date, émanant de climatologues français, laissent entendre que si rien ne change, l'élévation de température à la fin du siècle atteindrait plutôt +7 degrés.

Une étude récente suggère que la part de l'humanité soumise à des canicules potentiellement mortelles de plus de 20 jours s'élèvera à la fin du siècle à 74 %. La sécheresse qui a sévi dernièrement au Sahel est sans équivalent depuis au moins 1 600 ans. Les feux de forêt ont été multipliés par 4,5 en quelques décennies et on estime à plus de 300 milliards de dollars le prix des catastrophes météorologiques récentes aux seuls États-Unis. À l'échelle mondiale, l'apparition de nombreux réfugiés est inévitable.

Si l'on prend le seul exemple de ces réfugiés climatiques, que l'on évalue à environ 200 à 500 millions (peut-être plus) dans une trentaine d'années, il n'est pas difficile de cerner l'ampleur du problème : cette situation engendrera sans nul doute des guerres et des conflits majeurs à l'échelle planétaire. L'histoire ne laisse guère entrevoir d'autres possibles. Selon les Nations unies, la sécheresse en Afghanistan a forcé plus de personnes à quitter leurs lieux de vie que les violences, en 2018.

La température a dépassé les 51 degrés (à l'ombre) en Algérie durant l'été 2018, tandis que le minimum nocturne à Oman n'est pas tombé en dessous de 42 degrés sur un cycle entier de 24 heures. Deux ans auparavant, on mesurait 54 degrés au Koweït. À de telles températures, le corps humain ne fonctionne plus. Il détourne le sang vers les capillaires de la peau, rationnant les autres organes vitaux, le cerveau n'est plus alimenté. Le cœur pompe le sang jusqu'à épuisement.

Beaucoup de pays très peuplés sont en passe de devenir humainement invivables. C'est notamment le cas d'une grande partie de la Chine si l'on pousse la projection en 2070.

Les animaux subissent également ces températures insoutenables et, malgré de grandes migrations, ils sont très largement décimés. Lorsque la température monte trop, certaines espèces usuellement « coopératives » deviennent « agressives ». Les comportements ne sont plus rationnels. De nombreux vertébrés n'ont plus que quelques décennies à vivre. La végétation est également touchée de plein fouet : un quart des espèces est menacé à court terme.

Récemment, une sécheresse historique a touché la Namibie. Les vivants, humains et non humains, meurent massivement de soif et de faim. Pas une goutte de pluie en 2 ans : les carcasses et squelettes jonchent d'immenses étendues devenues invivables.

Le rythme des extinctions dans 3o ans sera de 1oo à 1 ooo fois supérieur à la normale. L'ONU estime que si nous ne changeons pas de cap de façon radicale d'ici 2 ans, nous allons devoir faire face à une « menace existentielle directe ». Les mots sont lourds de sens. Le système « planète Terre » étant non linéaire, il existe un certain nombre de paliers : si le prochain est franchi, même un ascétisme radical ne pourra plus inverser la tendance avant des temps considérables et des dégâts essentiellement irréversibles. De plus, l'ONU souligne que les objectifs affichés sont dramatiquement insuffisants. Ces objectifs ne sont eux-mêmes, pourtant, pas du tout atteints à l'heure actuelle. L'écart entre l'évolution réelle et celle identifiée comme nécessaire ne fait que croître.

Considérée sur les 5o dernières années, la concentration de CO_2 dans l'air ne se contente pas d'augmenter, elle s'accélère. Son niveau est sans commune mesure avec les variations naturelles observées depuis 8oo ooo ans.

Le dégel du permafrost libère du méthane (et d'inquiétants agents pathogènes) qui induit un réchauffement climatique bien plus drastique encore que celui engendré par le CO_2. Il contiendrait en outre, avec les glaciers, environ 800 000 tonnes de mercure qui seront libérées dans les eaux potables.

En parallèle, la taille de « l'océan de plastique » dans le Pacifique atteint trois fois celle de la France métropolitaine et la dernière étude publiée stipule que la masse de ce 1,6 million de kilomètres carrés de déchets augmente exponentiellement. On estime que le plastique des mers tue environ un million d'oiseaux et 100 000 mammifères marins chaque année. Au rythme actuel, la production de déchets va augmenter de 70 % dans les 30 prochaines années et représentera plus de 3 milliards de tonnes. Les effets sur la santé humaine et l'environnement sont dramatiques et paradoxalement beaucoup plus coûteux à traiter que ne le serait une réduction drastique des émissions de ces polluants. Environ 250 millions de tonnes de déchets plastiques sont, en ce moment, générées chaque année. Dans un autre registre, des quantités astronomiques de roche et de sable sont utilisées pour manufacturer le béton. Plus de 81 %

des déchets ne sont ni recyclés ni compostés. La durée de vie d'une bouteille en plastique avoisine les 1 000 ans.

Dans les zones urbaines, 80 % de la population humaine est soumise à des niveaux de pollution qui ne respectent pas les recommandations de l'OMS et on note une augmentation de 8 % de cette pollution sur la période 2008-2013.

L'eau sale occasionne au niveau planétaire environ 5 millions de morts humaines par an et ses effets létaux sur les populations animales sont en croissance rapide.

Très récemment, le gouvernement français a accordé son autorisation pour le piégeage de 150 000 oiseaux, *via* des pratiques cruelles et non sélectives (en particulier l'usage de la glue), un chiffre en augmentation par rapport à l'an passé.

Chaque année, 80 000 kilomètres carrés de forêt disparaissent. Ce chiffre est en augmentation constante (la déforestation ne se contente pas de progresser, elle s'accélère, elle aussi). Au rythme actuel, les forêts primaires sont amenées à disparaître dans les 10 prochaines années du Paraguay, du Laos et de la Guinée équatoriale. La décennie suivante devrait voir le phénomène s'étendre à plusieurs autres pays d'Afrique et d'Asie.

Il y a 4 siècles, les deux tiers de la surface terrestre (hors océans) étaient pourtant constitués de forêts.

Dans 70 % des forêts du monde, une lisière peut être trouvée à moins d'un kilomètre d'un point choisi aléatoirement. Les émissions globales de CO_2 sont à nouveau reparties à la hausse depuis 2017 (y compris en France). Elles atteignent 41 milliards de tonnes par an et marquent un nouveau record historique. La possibilité d'augmentation du réchauffement climatique bien au-delà des prévisions, induisant des réactions en chaîne incontrôlables, est maintenant considérée comme une hypothèse très sérieuse. Il semble que l'année 2018 révèle une… accélération de l'augmentation des émissions, alors qu'il faudrait une diminution de 40 % dans la prochaine décennie pour contenir l'élévation de la température à un niveau gérable. Si nous continuons sur la pente actuelle, l'élévation des températures mènera vraisemblablement à un désastre impossible à anticiper.

La très timide Stratégie nationale bas carbone (SNBC) proposée en France en 2015 n'a pas, dès 2016, été respectée. Ni dans les transports ni dans les bâtiments.

Les simulations sont formelles : les pays qui vont dramatiquement souffrir du réchauffement climatique (pauvres, pour la grande majorité) ne sont pas ceux qui en sont responsables (riches, pour la grande majorité). Voilà qui rend l'effort d'autant plus délicat.

La Russie inaugure une centrale nucléaire flottante pour accélérer l'exploitation du sous-sol minier en Arctique.

Plus de 40 % des espèces d'amphibiens, près de 33 % des récifs coralliens et plus d'un tiers de tous les mammifères sont menacés.

Dans la branche du vivant qui contient à la fois le plus d'espèces, le plus d'individus et la plus grande diversité de comportements – les arthropodes –, la biomasse a chuté de 67% en une seule décennie.

Dennis Meadows, l'auteur du célèbre rapport du MIT de 1972, précurseur à plus d'un titre, estime dorénavant que c'est « le scénario de l'effondrement qui l'emporte ». Il craint une forte montée des autoritarismes (non pas venant de la mauvaise blague d'une « dictature verte », évidemment, mais comme conséquence indirecte du réchauffement climatique).

Il existe environ 500 « zones mortes » dans les océans. L'oxygène y est trop rare pour que les organismes y survivent. Récemment, les études portant sur l'une des plus grandes d'entre elles – située dans le golfe du Mexique – montrent une expansion rapide causée par la pollution des fleuves qui se déversent dans la mer.

Les requins existent depuis plus de 400 millions d'années, mais 80 % d'entre eux ont aujourd'hui disparu et ils sont tous en situation critique.

Conjointement, il y a chaque année 89 millions d'êtres humains supplémentaires à nourrir.

La situation est, pour le moins, critique.

DES ÉBAUCHES D'ÉVOLUTIONS SIMPLES ET URGENTES

Un certain nombre de directions simples peuvent être esquissées et mises en place très rapidement, pour commencer à endiguer la catastrophe. Il est évident que leur application concrète dépend des circonstances spécifiques qui dépassent de loin le cadre de ce fascicule. Il est tout aussi évident qu'elles ont un « coût ». Il est néanmoins largement admis aujourd'hui que l'inaction aurait, même au sens purement économique, un coût bien plus élevé encore. L'enjeu auquel nous faisons face est immense, considérable, incommensurable à tout autre.

Le premier axe d'action, le plus essentiel, le plus simple, le plus impératif et le plus utile : *diminuer la consommation*. Une croissance exponentielle de l'utilisation des ressources n'est pas tenable éternellement dans un monde fini. C'est un fait. En physique, on nomme ce type de comportements des « instabilités ». Celles-ci mènent généralement au crash du système considéré. Consommer moins est une nécessité et constitue la clé d'un avenir possible pour éviter le « crash » du système « planète Terre ».

Certaines formes de décroissance de la consommation s'accompagneront nécessairement d'une décroissance économique. Peut-être même parfois d'une perte de confort. Mais si elle devient létale – et c'est aujourd'hui le cas –, la croissance économique n'a plus ni sens ni intérêt. Elle confond le moyen et la fin.

Une question ouverte importante concerne les modalités de cette décroissance : initiative individuelle ou décision politique ? La première version demeure la plus souple et la plus douce. Les exemples sont innombrables : des climatisations utilisées de façon démesurée (et contribuant au réchauffement qu'elles

tentent de parer) aux déplacements effectués
seul en voiture, en passant par la suralimen-
tation carnée, nos marges de progression sont
immenses. Ce dernier point, alimentaire, est
particulièrement intéressant. Migrer vers une
alimentation végétarienne serait très bénéfique
pour l'écologie : l'industrie de la viande est l'une
des plus polluantes qui soient. Un kilogramme
de bœuf demande 10 000 litres d'eau, une
seule calorie de viande demande 4 à 11 calories
végétales, l'élevage émet plus de gaz à effet de
serre que toute autre activité humaine – transports compris – et, en 2050, il sera la première
cause de pénurie alimentaire dans le monde. Ce
serait également bénéfique pour les humains :
la diminution du recours à la viande entraîne,
à l'échelle individuelle, une baisse des maladies
cardiovasculaires, du diabète et de certains
cancers. Si l'humanité optait pour une alimentation entièrement à base de végétaux, le taux
de mortalité chuterait de 6 à 10 %. De plus, à
l'échelle globale on pourrait nourrir beaucoup
plus d'humains si nous nous alimentions sans
viande (puisque les céréales utilisées pour
nourrir le bétail pourraient alors être destinées

aux hommes). Ce serait enfin évidemment bénéfique pour les animaux d'élevage dont les conditions de vie épouvantables sont souvent suivies de conditions d'abattage insoutenables. En France, des millions de porcs – animaux très sensibles – meurent chaque année de panique ou de mauvais traitements *avant* d'arriver à l'abattoir, 99 % des lapins ne connaîtront aucune autre existence que dans un minuscule clapier (ils n'auront pas une seule fois effectué le geste de base auquel ils sont destinés : bondir), 80 % des poules ne verront jamais la lumière du jour, etc. On tue à peu près 100 milliards d'animaux terrestres par an à des fins alimentaires.

Il serait, par exemple, aisé que, dans un premier temps, une alternative végétarienne soit systématiquement proposée dans les cantines scolaires et professionnelles, dans tous les restaurants. Que les repas publics et gouvernementaux donnent l'exemple (voir de la viande servie aux déjeuners et dîners de la COP est proprement hallucinant). Qu'il ne soit plus *nécessaire* de recourir à une alimentation insensée. Mais même cette infime évolution est aujourd'hui encore problématique.

La seconde possibilité, une décroissance « imposée », n'est pas déraisonnable. Le politique et le juridique ont précisément le rôle de « relais » lorsque la responsabilité individuelle ne suffit pas. Nous sommes tous d'accord qu'inciter à ne pas commettre de meurtre n'est pas suffisant : il faut interdire le meurtre. La loi a pour rôle d'entraver certaines libertés individuelles qui nuiraient trop au bien commun. Et elle préserve ainsi, en réalité, les libertés essentielles. N'est-il pas temps d'inclure également les impératifs écologiques dans ce bien commun ? Certains comportements irresponsables du point de vue climatique – ou d'une façon générale nuisible à la vie – ne doivent-ils pas être interdits ? C'est partiellement déjà le cas, mais de façon très lacunaire. Ne faut-il pas aller plus loin et plus vite ? Les entreprises sont protégées par un droit riche et complexe, n'est-il pas urgent de protéger la Terre ?

Il n'est bien entendu pas question d'instaurer une dictature verte ! Au contraire. Il s'agit tout simplement de se donner les moyens d'éviter le pire, de considérer que la vie a une valeur supérieure à l'argent. Qu'elle mérite d'être protégée. Et de réapprendre, dans ce cadre, une liberté qui ne soit pas destructrice de la nature qui, en réalité, la rend possible. Il n'est question que de conjurer une autocontradiction ubuesque et bientôt criminelle. Nous ne sommes pas libres de torturer, de violer, de mutiler nos semblables. Heureusement. Pourquoi sommes-nous libres de détruire le monde et de décider que nos enfants ne pourront pas y vivre ? Donc de les tuer. Faut-il se battre pour que nous conservions la liberté de nier la vie ?

L'infime privation de liberté qui résulterait d'un peu de décence imposée dans nos comportements n'est-elle pas justifiée par l'immensité de ses bienfaits ? Notre quotidien est évidemment nervuré de privations de libertés, pourquoi le plus essentiel, le plus vital, le plus irremplaçable échappe-t-il à une protection par la loi ? Si nous ne réagissons pas, nous ne serons bientôt plus libres de sortir de chez nous en été (à 5o degrés, le corps ne fonctionne plus) et bientôt plus libres d'exister. N'est-ce pas une privation plus « dramatique » que le petit effort qui permettrait aujourd'hui d'éviter nos actions les plus radicalement nocives ? Nos biens sont protégés par la loi, est-il acceptable que la vie ne le soit pas ?

Cette question essentielle (choisir entre initiative privée ou obligation publique) se pose pour tous les axes suggérés. Mais le fait est que l'argumentation rationnelle induit très rarement l'action rationnelle à l'échelle individuelle. C'est pourquoi les structures politiques doivent se saisir à bras-le-corps de ces questions et jouer leur rôle en imposant ce qui doit l'être. Si elles se montrent incapables de nous sauver, à quoi servent-elles ? Tandis que les lobbies patronaux européens semblent s'organiser en ce moment même pour déjouer les objectifs, pourtant modestes, de réduction des émissions de gaz carbonés, nos élus ne pourraient-ils pas prendre leurs responsabilités et prouver qu'ils ont encore une marge d'action ? Il n'est d'aucune manière question d'en appeler à un paternalisme naïf qui protégerait le peuple ignorant contre lui-même. À l'inverse, il serait question d'une « concrétion » politique de la volonté commune dépassant la pulsion individuelle.

Actuellement, seul 0,02 % du territoire français est réellement protégé. C'est extrêmement peu. La disparition rapide des lieux de vie est une cause essentielle de l'effondrement des populations animales et de la disparition des espèces. L'expansionnisme humain se fait au détriment des autres vivants et a atteint un niveau critique. Alors même que de nombreux hommes et femmes sont mal logés, se dessine donc ici un défi fondamental, impossible à relever sans un partage des richesses (en 2018, les groupes du CAC 40 ont totalisé 100 milliards d'euros de profit) et une vision plus raisonnée de notre place au sein de la nature. Il me semble incohérent de continuer à voir les espaces non encore « humanisés » comme vierges (au sens où ils seraient inconditionnellement « disponibles »). Ils ne le sont pas. Bien au contraire, de nombreux habitants non humains les peuplent. Il y a donc urgence à mettre un frein radical à l'étiolement des lieux sauvages. Dans l'attente de mutations plus profondes, les aires marines protégées, ainsi que les réserves naturelles terrestres, qui constituent les derniers remparts contre l'effondrement de la biodiversité, doivent être multipliées, étendues et mises en réseau.

Les effets dévastateurs de la pollution concernent de nombreuses espèces animales, mais également les humains. L'air, l'eau, le sol sont aujourd'hui littéralement empoisonnés. On estime que le nombre de décès prématurés dus à la pollution frôle les 50 000 par an en France. C'est un chiffre considérable qui vient d'ailleurs d'être revu à la hausse, la pollution tuerait aujourd'hui plus que le tabac. Pourquoi ce drame n'engendre-t-il pas un « état d'urgence environnemental » ? N'est-ce pas, d'un point de vue purement rationnel, ce qui devrait constituer la priorité réelle de l'action publique ?

Le rôle des automobiles est loin d'être négligeable et il est évidemment nécessaire d'en diminuer drastiquement l'utilisation. Il peut s'ensuivre une perte de confort pour certains ou une véritable difficulté pour d'autres. Tout changement des habitudes de vie exige des efforts (quand on évalue les choses du point de vue des anciens indicateurs). Ils doivent être pris en charge par la collectivité et évidemment pas par ceux qui sont déjà en difficulté. Lorsque l'écologie s'oppose au social, elle se suicide. Et échoue et se contredit elle-même. Pour autant, il n'est plus possible de poursuivre dans l'usage débridé des véhicules individuels, couplé à un transport des marchandises encore très largement routier. Par des incitations fiscales comme par des interdictions légales (incluant évidemment les exceptions justes et surtout le déploiement de solutions alternatives), l'hécatombe engendrée par la pollution atmosphérique – qui n'est bien sûr pas exclusivement due aux voitures – doit être enrayée. Elle a vraisemblablement tué 750 fois plus que le terrorisme, en France, pendant les 4 dernières années (ce qui n'excuse évidemment rien de celui-ci) et contribue, au-delà des rejets de CO_2 et de particules, à rendre l'espace invivable pour tous. Mais il est essentiel, une fois de plus, que l'évolution ne soit pas socialement injuste. Les bonnets rouges et les gilets jaunes ont fait reculer les gouvernements. La mise en place de mesures qui reviennent à permettre aux plus riches de ne rien infléchir de leur comportement tout en imposant des évolutions très difficiles aux plus pauvres ne peut pas fonctionner et n'est pas souhaitable. Il faut reconnaître que nous nous sommes collectivement trompés dans notre modèle et nous devons prendre collectivement en charge les solutions. C'est à ceux qui en ont les moyens de financer la transition. Non seulement parce que c'est certainement juste d'un point de vue éthique, mais aussi parce qu'elle ne pourra pas avoir lieu autrement d'un point de vue pratique.

Des véhicules électriques – moins puissants, moins rapides et revendiqués comme tels – sont une piste possible à très court terme, mais ils ne doivent pas servir uniquement à délocaliser la pollution hors des villes (l'électricité qu'ils utilisent doit bien être produite quelque part), ce qui aurait l'effet pernicieux de masquer pour un temps la triste réalité. Il est maintenant certain que leur coût deviendra inférieur à celui des automobiles à essence dans quelques années. C'est sans doute une bonne nouvelle, mais il y a un autre risque : que cela entraîne une recrudescence de l'utilisation des voitures ! Il faut aller au-delà de ces micro-ajustements et organiser durablement le territoire pour nous extraire de la dépendance à l'automobile.

Il est indispensable de généraliser les transports en commun et de favoriser les solutions les moins consommatrices en ce domaine. Les pistes cyclables sont naturellement bienvenues (et ne constituent pas un simple amusement pour « bobos » : l'utilisation généralisée de l'automobile même pour des courtes distances, comme c'est actuellement le cas, est intenable). La politique fiscale doit cesser de défavoriser le train qui demeure le moyen de transport le moins polluant sur une large gamme de distances. En particulier, je pense qu'il est important que l'exploitation du rail reste entre les mains d'une entreprise publique, non guidée par le profit, afin que les lignes non rentables demeurent ouvertes et soient entretenues.

Le trafic aérien est également une cause majeure de pollution et ne doit sous aucun prétexte devenir un moyen de transport « usuel » pour les marchandises. Son utilisation généralisée pour les déplacements d'affaires ou de loisirs fait également question. Prendre l'avion est un geste « grave » et devrait être maintenant pensé comme tel.

Le transport maritime a aussi un coût environnemental considérable – surtout du point de vue des particules fines – et c'est pourquoi le choix de produits locaux doit prévaloir.

Le tourisme pèse de plus en plus lourd dans la mauvaise santé de la planète et des restrictions pourraient être envisagées en ce domaine. Il n'est plus possible de tout sacrifier aux seuls impératifs économiques ou au seul hédonisme irresponsable de ceux qui ont les moyens de passer leurs vacances à l'autre bout du globe. D'autres vérités, bien plus fondamentales, sont en train de se rappeler à nous. Elles peuvent attrister mais, qu'on le veuille ou non, elles existent : le monde n'est pas un jeu aux règles arbitraires. Il n'est plus possible d'ignorer les conséquences de nos modes d'être. Elles sont, de toute façon, en train de se dévoiler avec fracas.

L'impératif de changement qui s'impose aujourd'hui est aussi une chance d'explorer un nouveau rapport au réel, enrichi de multiples possibles, derrière son éventuel ascétisme de façade. Il n'est peut-être pas nécessaire de faire 10 000 kilomètres en avion pour découvrir des animaux merveilleux, des paysages insoupçonnés et des humains sidérants. Toute une magie mystérieuse de l'ici est sans doute à réapprendre, pour le meilleur. Avant de désirer parcourir la planète pour découvrir l'altérité, a-t-on seulement pensé à parler avec son voisin de palier ? Avons-nous seulement commencé à regarder vraiment les animaux et les arbres qui nous entourent ?

On ne doit en aucun cas faire fi des aspects sociaux, j'y reviens, et plus généralement humains. Ils sont indéfectiblement liés à une écologie cohérente. Ils ne sont pas une préoccupation « secondaire » annexée à la première : ils en sont fondamentalement solidaires. Sans doute faut-il redessiner notre manière d'habiter le monde. On ne peut plus continuer sur la lancée actuelle, même en usant de prouesses technologiques. On ne peut plus autant se déplacer. On ne peut plus autant renouveler. On ne peut plus autant gaspiller. On ne peut plus autant tuer. Nous n'avons pas vraiment d'autre choix que d'accepter cette évidence. Mais, évidemment, il ne saurait être question de « sacrifier » quiconque. Seule une authentique solidarité humaine – au-delà des effets d'annonce – peut conduire à une (r)évolution satisfaisante. À l'échelle globale, nous vivons dans un monde où quelques personnes possèdent autant que la moitié de la population mondiale. C'est insensé et intenable. Presque obscène.

Au niveau des matériaux, l'utilisation du plastique est particulièrement problématique et doit être fortement diminuée, jusqu'à être interdite. Se passer des pailles et des Coton-Tige plastifiés ne va pas suffire : ce genre de mesures symboliques aurait pu avoir un sens il y a 30 ans, mais nous n'en sommes plus là. En Inde, l'État du Maharashtra (Bombay compris) a totalement proscrit le plastique. Le Costa Rica va l'interdire sur l'ensemble de son territoire d'ici à 2021. La loi visant à mettre fin, en France, aux objets en plastique à usage unique a été repoussée : l'urgence n'est pas comprise par le pouvoir politique. Pensant être « raisonnable » dans sa lenteur et sa tempérance apparentes, il précipite en réalité l'effondrement et l'advenue de catastrophes irréversibles.

L'usage abondant de pesticides ne se contente pas de tuer les espèces visées. Elle occasionne aussi la mort de nombreux animaux qui ingèrent les insectes concernés, provoquant un impact notable sur les populations animales. Environ 98 % des pesticides atteignent une autre destination que leur cible. Rien qu'aux États-Unis, on estime qu'ils tuent 62 millions d'oiseaux par an. De plus, cela induit, pour les humains, des cancers et des malformations fœtales. Les alternatives « biologiques » sont connues et, outre un effet immédiatement bénéfique sur l'environnement, elles sont économiquement favorables aux agriculteurs. Il est important de les privilégier par une politique très volontariste en ce domaine, qui n'est actuellement pas mise en œuvre malgré la forte demande des consommateurs, en augmentation constante. Sans accompagnement, il en résulte nécessairement un surcoût à l'achat et ce type de mutation doit donc être adossé à des mesures concrètes de subventions, pour les consommateurs comme pour les agriculteurs. L'enjeu n'est pas un détail, il touche à la sauvegarde des sols dévastés par l'agriculture intensive. Mieux encore, il est sans doute temps d'opérer une véritable révolution dans notre construction d'un avenir commun. La transition écologique authentique ne peut pas ne pas se joindre, *a minima*, à un infléchissement économique. Il n'est pas possible de stopper la destruction en cours sans rien changer de nos modes d'échange. Il n'y aura pas de « miracle », pas d'invention scientifique de dernière minute pour sauver le monde. Et, de toute façon, il n'est pas souhaitable de ne rien changer. Un enfant meurt toujours de faim toutes les 6 secondes : même si le climat allait bien, l'humanité n'irait pas bien.

Concernant la question spécifique du changement climatique, qui est intimement liée aux précédentes, quelques évolutions simples, en plus de celles déjà esquissées et ayant également une influence sur le climat, peuvent être suggérées. Outre l'incontournable diminution de la consommation – de gré ou de force –, il faut d'une part améliorer l'efficacité énergétique à usage constant et, d'autre part, favoriser de façon urgente une migration vers des énergies non carbonées (hydraulique, solaire, éolien, biogaz, biomasse, géothermie, etc.).

Un gain très substantiel concernant l'efficacité est à chercher du côté d'une rénovation thermique généralisée des bâtiments. Une importante marge de progression est ici possible, il ne s'agit pas d'un *green washing*. Il est également important de ne pas surdimensionner nos habitats. Un appartement de plusieurs centaines de mètres carrés n'est pas indispensable pour un couple... surtout quand tant d'humains sont mal logés.

La transition vers des sources d'énergies non fossiles relève de la pure responsabilité gouvernementale et s'inscrit dans le long terme. Une révolution a déjà eu lieu : le solaire, par une diminution exponentielle des coûts, est devenu la source de production d'électricité la moins chère au niveau mondial (moins chère que le pétrole, le gaz, le charbon et le nucléaire). Malheureusement, la France a pris beaucoup de retard en la matière. Il faut en effet plusieurs décennies pour renouveler les installations de production d'électricité et le chantier doit donc être accéléré sans plus tarder. En Europe, il faut fermer immédiatement les centrales à charbon, puis diminuer l'utilisation des centrales à gaz. Des enjeux associés au stockage apparaîtront, mais ils ne sont pas centraux pour les 15 prochaines années. Il s'agit enfin de développer les sources de production d'énergie pour des usages non électriques, essentiellement liés à la chaleur. Pour cela, il convient d'accélérer le développement des biogaz à partir des déchets ménagers, agricoles et végétaux, et l'utilisation de la biomasse pour la production de chaleur, sans utilisation néfaste à la biodiversité[1].

De plus, au niveau purement économique, depuis le rapport Stern et au vu des coûts exorbitants du changement climatique, il devient clair que l'inaction face à cette réalité est bien plus coûteuse que la transition énergétique. Il est même raisonnable de penser que le coût de la mutation sera négatif. Il existe cependant, à ce jour, des freins économiques

---

1. Ces arguments sont en partie dus à une étude de Freddy Bouchet, directeur de recherche au CNRS.

liés à l'incapacité du système financier à tenir compte des effets d'investissements sur des échelles de temps longues. Les économistes de l'environnement s'accordent pour demander un bouleversement des outils afin qu'ils permettent de mobiliser l'investissement vers la transition énergétique, sans que l'effort n'affecte d'aucune manière les plus pauvres.

Par ailleurs, il est indispensable d'accompagner collectivement les réorientations professionnelles qui résulteront de ces changements afin que personne ne souffre du virage écologique. Ceux qui devront changer de profession, parce qu'on ne peut pas continuer à l'identique, n'ont pas à en faire personnellement les frais. L'effort doit être partagé.

De grands chantiers sont à l'étude. Le pacte Finance-Climat, par exemple, propose que la Banque européenne d'investissement (BEI) devienne une banque du développement durable et finance à taux zéro la transition énergétique (conjointement à la création d'un impôt européen sur les bénéfices). L'Agence de l'environnement et de la maîtrise de l'énergie (ADEME) estime qu'il pourrait s'ensuivre une création nette de 900 000 emplois et que l'évolution irait également dans le sens des recommandations du Fonds monétaire international (FMI) puisqu'il s'agirait d'un assainissement financier qui réorienterait la création monétaire hors de la spéculation. Le Pacte mondial pour l'environnement, en discussion aux Nations unies, propose, quant à lui, la ratification d'un traité de protection de la vie sauvage énonçant des droits et devoirs pour les États. Bien que modeste dans ses ambitions, il n'est à ce stade pas adopté.

L'Europe (qui est, sur les 200 dernières années, le plus gros pollueur de la planète) a l'occasion de créer, avec l'Afrique, un axe de transition écologique exemplaire. Alors même que l'idée d'Europe est aujourd'hui désenchantée – comment pourrait-elle ne pas l'être après le triste épisode de la Grèce abandonnée et humiliée, après le traitement inhumain des réfugiés syriens ? –, alors que son économie n'est plus compétitive par rapport à celle des États-Unis ou de la Chine, n'y a-t-il pas ici la possibilité d'une innovation majeure et enthousiasmante à l'échelle planétaire ? Si l'Europe peut encore être leader quelque part, c'est ici, et c'est tout sauf un détail !

Nous sommes au cœur de la plus grande crise de notre histoire et l'enseignement primaire, secondaire et supérieur semble, pour l'essentiel, l'oublier. Il n'y a aucun sens à l'aborder « à la marge ». Il n'y a aucun sens à relater la catastrophe écologique comme un fait « parmi d'autres ». Nous devons apprendre aux jeunes générations la véritable gravité de la situation : en 40 ans, 60 à 70 % de la vie sauvage sur Terre ont disparu, alors même que les effets du réchauffement climatique n'ont pas commencé à se faire réellement sentir. Nous leur devons la vérité sans fard. Il est indispensable que l'école et l'université soient résolument tournées vers la conjuration de cette hécatombe et la mise en lumière de ses origines. Mais on ne peut se contenter de demander aux générations suivantes de faire les efforts que nous avons négligés et d'avoir les idées que nous n'avons pas même cherché à avoir. Il faut que des enseignements centraux et exigeants accompagnent une mutation à engager immédiatement. Sans quoi ils ne feront que renforcer une forme de dissonance cognitive dans l'écart entre ce qui est su et ce qui est fait. Sans quoi tous les autres enseignements ne feront qu'évoquer un monde déjà presque mort.

Il est essentiel que nous opérions un virage à 180 degrés (j'y reviendrai dans le chapitre suivant). On ne peut plus mener une politique qui favorise la « croissance » consumériste. Cela revient – littéralement – à se dire que face à un corps drogué et dépendant, nous allons augmenter les doses de substances hallucinogènes et mortifères. Cela peut, un court instant, masquer la pathologie, mais la mort n'en sera que plus rapide et douloureuse. C'est une question de sérieux. Les « doux rêveurs » ne sont pas, ici, les écologistes, mais ceux qui pensent pouvoir défier les lois fondamentales de la nature. Et leur rêve devient notre cauchemar. Cette inversion de la croissance ne signifie évidemment pas une perte de qualité de vie ou un renoncement aux progrès de la médecine. Évidemment.

Les « petits gestes » du quotidien pour améliorer un tant soit peu les choses sont bien connus :

– moins de déplacements motorisés ;

– moins d'achats sur les sites aux pratiques peu responsables qui tuent les commerces de proximité et échappent souvent aux impôts nationaux ;

– moins d'achats en grande surface ;

– moins de produits transformés ;

– choix privilégié des produits locaux ;

– moins de viande ;

– plus de « bio » pour ceux qui en ont les moyens ;

– moins de chauffage et de climatisation ;

– des économies d'eau ;

– une baisse de l'usage des produits chimiques ;

– moins de déchets ;

– boycott des emballages en plastique ;

– plus de tri ;

– plus de partage ;

– plus de mise en commun des ressources ;

– moins de renouvellements des objets techniques ;

– plus d'achats d'occasion ;

– choix de la réparation plus que du changement ;

– boycott des entreprises aux pratiques sociales violentes ;

– respect des habitats animaliers.

Ils sont évidemment souhaitables et doivent être mis en œuvre par tous. Mais ils ne vont pas suffire, car ils viennent un peu tard. Et n'endiguent pas le problème systémique. Il faut que l'État fasse du respect de la vie sa priorité absolue et que les citoyens n'envisagent même plus de choisir pour représentant quiconque ne s'engagerait pas sur cette voie.

Au niveau politique, de nombreuses mesures urgentes sont « évidentes » :

– interdiction légale des comportements irresponsables incitant à un infléchissement des modes de production industriels par une définition de la fiscalité fondée sur l'impact environnemental (pénalisation radicale des emballages polluants, de l'utilisation des énergies carbonées quand il y a des alternatives, etc.) ;

– information régulière et systématique des citoyens *via* les canaux publics (télévision, journaux, radio) sur l'évolution des données locales et globales concernant la Terre (émissions de CO_2, températures, hectares de forêts perdus, fonte des glaces, pollution de l'air, etc.) ;

– révision du modèle agricole pour favoriser les exploitations raisonnables – sans pesticide – dans le respect des hommes et des sols (la biologie contre la chimie) ;

– relocalisation de l'économie et développement des transports en commun publics au détriment des véhicules particuliers ;

– application et renforcement des lois de sortie des hydrocarbures ;

– lutte réelle contre l'évasion fiscale et taxation des revenus du capital pour financer les évolutions écologiques ;

– défense d'authentiques services *publics* tournés vers le bien-être commun ;

– extraction d'une « économie de la gestion » au profit d'une « politique de l'accueil » (en particulier au sein des hôpitaux, des EHPAD – le malade n'est plus aujourd'hui le centre d'un système de santé qui se déshumanise – et lieux d'enseignement) ;

– interdiction légale des comportements irresponsables de mutilation de la nature et de la vie ;

– mise en place d'une politique économique solidaire avec un réel partage des richesses ;

– obligation d'une traçabilité des produits industriels et transformés ;

– endiguement de l'urbanisation galopante et réquisition des logements durablement inhabités ;

– abandon de la politique « nataliste » globalement intenable ;

– enseignement de la crise écologique et des solutions possibles dès l'école primaire et de façon approfondie ;

– encouragement autant que possible de l'alimentation végétarienne, voire végane ;

– création de larges « sanctuaires » de la faune et de la flore sauvages, incitations fiscales aux terres « vierges » ;

– arrêt de la construction de nouveaux axes routiers ;

– abandon des techniques de pêche industrielle dévastatrices ;

– mise en place d'une action massive de dépollution des océans ;

– augmentation du nombre d'espèces protégées et application des interdictions associées ;

– accompagnement financier des reconversions professionnelles induites par la transition écologique.

Une guerre contre la fin du monde doit être menée, de façon urgente et volontaire.

Elle n'a pas encore débuté.

Il n'y a pas lieu de distinguer l'écologique du social. Ils relèvent du même geste : une pensée du commun osant déconstruire le mythe mortifère d'un humain qui n'est pleinement lui-même que dans l'exercice d'une oppression prédatrice sur ses semblables et son environnement. L'un et l'autre s'articulent à une vision du multiple, du bigarré, du lien, du partage. L'un et l'autre inventent une ontologie plurielle.

Il est souvent argué qu'il suffit de taxer drastiquement les entreprises les plus polluantes pour résoudre globalement le problème. Si c'est évidemment nécessaire, c'est malgré tout insuffisant. Les entreprises ne sont pas déconnectées du réel. Elles produisent ce que nous achetons. Elles reflètent également nos attentes. Si certaines (et pas les moindres) ont des attitudes socialement et écologiquement irresponsables, c'est aussi parce que nous les cautionnons en choisissant ce qu'elles proposent. Elles répondent à une attente qu'elles contribuent à créer. Il faut aborder la question de façon rigoureuse en incluant l'ensemble des aspects locaux et globaux. Oui, les vêtements vendus en France à des prix dérisoires en grande surface ou sur Internet sont souvent produits dans des conditions humaines et environnementales déplorables. S'il ne faut plus en produire, il ne faut pas non plus en acheter. Mais ce n'est possible que si une redistribution réelle des richesses permet à chacun d'accéder à autre chose ! Les différentes dimensions du problème ne peuvent pas être dissociées.

Il est aussi notable que l'action locale peut être plus souple, rapide, pertinente et adaptée aux spécificités territoriales que la vision nationale. Il est donc essentiel que les communes mettent également en place un plan d'urgence écologique et que nos choix de maires soient inconditionnellement assujettis à cet impératif. Même si le commerce du centre-ville en souffre un peu... L'enjeu est majeur.

Les pistes de progression possibles à court terme sont donc innombrables et elles ne nécessitent pas un chamboulement drastique de notre système économico-politique. Elles ne sont pas si complexes à mettre en œuvre par rapport à l'importance sidérante de l'enjeu et à la gravité extrême de la situation. Beaucoup d'autres combats sont à mener, mais si celui-ci échoue, plus aucun autre ne pourra être entrepris !

L'ÉVOLUTION PROFONDE

Au-delà des « rustines » précédemment esquissées, je pense qu'une évolution plus profonde, plus radicale, plus révolutionnaire est nécessaire.

Une des raisons essentielles de l'inaction vient de la controverse sur les causes du désastre. Chacun a son analyse. L'origine évidente est pour les uns le capitalisme, pour les autres la démographie, pour d'autres encore la religion, etc. Le fait est que nous ne nous mettrons jamais d'accord sur les causes. Autrement dit : si nous attendons que la grande cause (sachant que chacun pense avoir identifié ce qu'elle est) soit traitée en profondeur avant d'agir, nous n'agirons jamais. Si l'on choisit, par exemple, le néolibéralisme comme origine majeure de la catastrophe (ce qui a du sens), faut-il attendre le « grand soir » pour passer à l'action ? Il est peu probable que celui-ci survienne rapidement et ce serait donc suicidaire : la « fin du monde » aura lieu avant ! Pour une fois, je crois qu'il faut renverser l'ordre usuel et s'attaquer aux conséquences – la négation de la vie et de l'avenir – avant de s'attaquer aux causes. Agissons. Agissons maintenant en ciblant les effets et nous verrons bien quel système permet d'y parvenir. Commençons par la fin et cela éclaircira l'origine. Sans aucun doute, la mutation devra être profonde.

Il est vital que l'écologie soit la *priorité absolue* de tout pouvoir politique. Il faut que nous nous engagions solennellement à ne plus élire quiconque ne mettrait pas en œuvre des mesures fermes, claires, concrètes pour éviter l'effondrement du vivant, en s'opposant, chaque fois que nécessaire, aux lobbies et aux pouvoirs financiers. Ce n'est pas une mince affaire, ce n'est peut-être plus même véritablement possible dans le système économique mondial actuel. Si tel est le cas, il faut le changer, ou périr. Il ne devrait même pas y avoir de ministre de l'Écologie. Il devrait être le Premier ministre ! Le Président ! L'écologie est notre « ligne de vie ». On ne peut pas exister loin de sa ligne de vie. La nature ne relève pas d'un ministère : elle est le nom de notre monde.

Parfois, je lis qu'il ne s'agit que de la fin d'un monde et pas du monde, qu'il ne s'agit que de la fin (possible) de l'humanité. Mais c'est une analyse assez contradictoire. Soit on considère que le monde n'est pas constitué des seuls humains – ce qui est raisonnable – et il est alors faux de clamer que seule l'humanité est en danger : si nous allons à la catastrophe, nous entraînerons avec nous une quantité proprement astronomique d'animaux qui sont bel et bien réels. Soit on considère que le monde n'est fait que des humains – ce qui est assez fou, mais banal – et alors il s'agirait bien de la fin du monde. Dans les deux cas, la correction n'a pas de sens. Si le niveau de catastrophe auquel nous faisons face n'est pas qualifiable de « fin du monde », alors j'ignore ce qui peut l'être...

Engageons-nous à harceler le pouvoir politique pour l'obliger à agir suivant la seule priorité rationnellement acceptable. Montrons sans relâche que la rigueur et la raison ne sont pas du côté des apôtres de l'*hubris* dogmatique d'une consommation irréfléchie.

Les évolutions précédemment suggérées sont relativement simples et en partie consensuelles. Elles relèvent d'une évolution presque mineure, ce qui me semble en réalité bien insuffisant.

Récemment, la parole de Greta Thunberg, alors écolière suédoise – très médiatisée depuis, j'y reviendrai –, refusant de suivre ses cours a été largement diffusée.

Dans son intervention initiale, elle expliquait qu'il n'y avait aucun sens à envoyer les enfants à l'école étudier et préparer leur avenir alors que nous sommes en train d'interdire la possibilité même de cet avenir. De plus, nous ignorons le message scientifique le plus clair et le plus important de notre histoire. Comment pouvons-nous donc demander aux élèves d'apprendre leurs leçons de science ? Elle a raison.

En Belgique – et ailleurs – des manifestations de lycéens s'organisent autour de la même angoisse. Le mouvement tente, difficilement, de l'internationaliser. De jeunes militantes et militants charismatiques émergent en Afrique, en Asie, en Amérique...

Plusieurs révolutions fondamentales sont sans doute à effectuer à l'occasion de cette urgence écologique.

La première consisterait à se réapproprier le politique. Il y a plusieurs sens à « politique ». Disons d'abord *politikos* – originellement, le vivre ensemble et l'organisation de la cité –, puis *politeia* – la structure de fonctionnement, l'institution –, et enfin *politikè* – la pratique du pouvoir. Suivant tous ces axes, un immense travail est à effectuer. Peut-être l'urgence écologique obligera-t-elle, pour le meilleur, à rénover en profondeur notre démocratie moribonde.

Face à la tragédie en cours (rappelons que même la très prudente ONU évoque ce qu'un grand journal canadien résume par « un génocide environnemental prévu »), l'appel à la responsabilité individuelle ne suffit pas. Les humains sont faibles – même par rapport à leurs propres critères – et ont tendance à abuser des possibles qui leur sont offerts. Mais nous avons précisément inventé la politique pour affronter cette faiblesse. Nous n'avons souvent pas la force de nous restreindre, mais nous avons celle d'accepter – voire de demander – une loi qui nous restreigne. Aussi paradoxal que cela puisse paraître, c'est là que l'action est possible face à l'urgence. Il faut que la loi intervienne pour enfreindre les velléités individuelles qui ne sont plus compatibles avec la vie commune. Il n'est pas question ici de dresser une liste exhaustive des mesures nécessaires, mais les comportements aux conséquences « trop nocives » ne manquent pas. Doit-on les tolérer avec fatalisme et contempler les dégâts irréparables avec regret ?

Nous avons depuis longtemps – et fort heureusement – accepté, par exemple, que le droit ne nous permet pas de porter atteinte physiquement à quiconque nous déplaît. Sans doute faut-il accepter également qu'il nous empêche de trop contribuer à détruire globalement la vie terrestre – humaine et non humaine.

Il semble qu'en dépit de son aspect « coercitif », une évolution législative plus contraignante quant à l'interdiction des comportements « contraires à la vie » tendrait *in fine* vers une liberté accrue. En interdisant l'excès mortifère, ce sont autant de chemins d'enrichissement et d'apaisement qui s'ouvriront. En interdisant à un homme de conduire en état d'ébriété, on restreint sa liberté de l'instant, mais on lui ouvre la possibilité d'un futur. Il est temps de nous empêcher de piloter le monde en état d'ébriété écologique. L'interdiction peut prendre une forme « dissuasive douce », par exemple avec des taxes rédhibitoires, mais il faut alors prendre garde que le droit de polluer ne devienne pas une simple question de niveau de richesse.

Décroître – au sens de l'exploitation industrielle – me semble être rationnellement indispensable. Ce mot n'a pas à être tabou. Mais nous ne parlons que de décroissance matérielle. Il n'est pas question de freiner la production intellectuelle, l'amour, la créativité. Mettre fin à un emballement technocratique qui confond la fin et les moyens, qui fait de la surproduction une visée – et non un accident –, ne relève finalement que du bon sens et de la redécouverte de valeurs élémentaires ou ancestrales. Il s'agit de réinventer la continuité. Il s'agit de réapprendre la beauté subtile. Il s'agit de ne plus penser les animaux et végétaux comme des ressources, mais comme des entités ayant sens en elles-mêmes, avec lesquelles il est évidemment possible d'interagir, mais hors de la logique réificatrice qui prévaut aujourd'hui. D'aucune manière il n'est question d'interdire les évolutions ou de renoncer à des avancées signifiantes.

Il n'y a pas d'argument mathématiquement inébranlable pour nous pousser à opérer la révolution écologique. Le mot « écologie » est lui-même trop étroit. C'est plutôt de *biophilie* – d'amour de la vie – qu'il faudrait parler. De même que le mot « environnement » est trop anthropocentré : c'est bien de la nature qu'il s'agit et pas seulement de ce qui nous entoure. Il n'est pas question de trouver la « vérité » ou « le bien ». Ce serait trop simple. Il ne s'agit que d'un choix contre un autre. Il ne s'agit que de décider si nous préférons sauver des vies ou des biens, des espèces ou un système, un avenir ou un instant. Tout est là.

Il est clair que dans un marché mondialisé, un pays qui prendrait la décision de freiner sa croissance se mettrait en difficulté par rapport à ses voisins. Il sera de la responsabilité des États de se mettre d'accord sur un infléchissement mondial, collectif et raisonné. Est-ce absolument impossible ? Je ne sais pas, mais c'est indispensable. On ne peut plus se permettre de ne pas faire ce pari. Nos représentants sont précisément là pour gérer ces difficultés autour de la table des négociations. S'ils s'en montrent incapables, ils n'ont plus aucune utilité fondamentale. Si nous décidons que « c'est impossible », nous choisissons explicitement la mort. Presque toutes les grandes civilisations qui se sont effondrées étaient prévenues de leur effondrement, mais se sont révélées incapables de se transformer. Réussirons-nous là où elles ont échoué ? Si tel n'est pas le cas, nous entraînerons beaucoup d'otages dans notre chute. Bien sûr, il faudra changer aussi le cœur du système, mais je crois que cela viendra par la suite. On ne peut plus se permettre d'attendre qu'il s'agisse d'un préalable.

Tout n'est pas compatible avec tout. Cessons de faire croire que la lutte contre le dérèglement climatique et la pollution, pour la préservation des espèces et des populations animales, contre la progression rapide de zones humainement « inhabitables » dans beaucoup de pays pauvres est compatible avec une croissance perpétuelle devenue une véritable religion. Et une religion sans dieu, c'est-à-dire une folie. Ce n'est pas le cas : on ne peut pas échapper aux lois de la physique. On ne peut pas ignorer les leçons de l'éthique. Il faut faire des choix. Et le choix que nous opérons maintenant est le plus important de l'histoire de l'humanité et peut-être de l'histoire de la Terre.

Il n'est pas possible de concilier une consommation excessive des ressources (dans les pays riches) avec un espoir d'avenir alliant biodiversité, respect de la vie humaine et absence de catastrophes écologiques. La question n'est pas de savoir s'il nous plaît de l'entendre, mais de comprendre comment nous tiendrons compte de ce fait.

Un seul exemple parmi tant d'autres : une importante partie des avoirs des grandes compagnies pétrolières se présente sous la forme de brut non encore extrait. Si l'on veut éviter un emballement climatique catastrophique, il est aujourd'hui acquis que ce pétrole ne doit en aucun cas être massivement utilisé. Ces entreprises sont donc, suivant la logique de l'évidence, déjà en faillite. Sauf à sacrifier l'humanité. On ne peut pas ne pas changer de cadre pour penser un monde vivable. Il est temps d'être conséquent.

L'avenir que nous appelons devrait aussi s'accompagner d'une redéfinition philosophique de notre rapport à l'étranger, à l'animal et à la nature. L'Europe n'a pas su accueillir les Syriens fuyant la guerre. La catastrophe humaine est immense. Comment pouvons-nous imaginer faire face aux centaines de millions de réfugiés climatiques à venir ? L'autre doit-il continuer d'être pensé *a priori* comme l'ennemi ? Comme le « si lointain » qu'il n'a rien en commun avec ce « nous » fantasmé ? La famine tue 25 000 humains chaque jour tandis que nous jetons dans le même temps

3,5 millions de tonnes de nourriture. Cela ne nous empêche pas vraiment de dormir. Il faudrait enfin devenir de vrais patriotes : des membres fiers de la grande « patrie des vivants ».

J'ignore pourquoi il est si complexe de faire preuve d'un peu de mesure. Un salaire minimum – qui assurerait une vie décente à chacun – et un salaire maximum – qui freinerait les folies de certains – ne sont-ils pas, par exemple, des évidences pour une société mature ?

Une sérénité sociale retrouvée constituerait certainement la prémisse bienvenue d'une pérennité environnementale. Mais nous choisissons l'existence assumée d'une pauvreté extrême pour les uns et d'une richesse démesurée pour les autres, même en France, et cela dans un étrange climat de suspicion face à toutes les différences (ethniques, éthiques, religieuses, etc.). Ce n'est pas un ordre naturel, ce n'est pas une donnée inéluctable, c'est un choix sociétal que nous opérons. Il peut être infléchi, c'est à nous seuls d'en décider.

Incontestablement, les signes ne sont pas positifs. Trump et Bolsonaro ont été mis aux commandes de deux des plus grands pays du monde et la France place, aux dernières élections, le Rassemblement national en tête. Alors même que tout nous montre qu'il est vital de réinventer la solidarité, nous nous dirigeons droit vers le pire des dénouements.

Par ailleurs, nous savons aujourd'hui que beaucoup d'animaux souffrent comme nous, qu'ils ont une « conscience » (au sens le plus fort de ce mot) comme nous, qu'ils ont peur comme nous. Nous le savons et nous les décimons pourtant comme jamais ils ne l'ont été dans l'histoire. Faut-il d'ailleurs absolument qu'ils nous ressemblent pour que nous les aimions et les respections ? Le « crime contre la vie » perpétré chaque jour par une humanité plus prédatrice – et de très loin – qu'aucune espèce ne le fut jamais dans l'histoire de la Terre peut-il perdurer indéfiniment ? Allons-nous continuer à l'assumer ? N'est-il pas temps de cesser de faire comme si les vivants non humains étaient des objets alors que nous savons qu'ils ne le sont pas ?

Nous traitons rigoureusement les animaux comme des choses. Unilatéralement, nous avons décidé que la Terre serait l'enfer pour nombre des vivants qui la peuplent. Nous tuons vraisemblablement chaque mois plus d'animaux qu'il n'a existé d'êtres humains dans toute l'histoire.

La nature est, elle aussi, souvent pensée sous le seul prisme de ce qu'elle « rapporte », de ce qu'elle nous « dispense » (comme le furent les peuples colonisés). Peut-être serait-ce l'occasion de la penser *pour elle-même*. Faut-il continuer à voir les lieux que nous investissons comme étant « à disposition » ? Tout un écosystème subtil y préexiste. Il n'est pas une simple ressource. Il ne doit plus être ainsi perçu. Il vaut pour ce qu'il est et non pas pour ce qu'il nous donne. Le problème de la mort massive des animaux et des végétaux est presque toujours présenté du point de vue de ses effets négatifs (souvent réels) sur la vie humaine. Mais n'est-il pas *en lui-même* catastrophique ? Le monde existe indépendamment de son rôle pour notre confort. La « loi du plus fort » n'est pas seulement éthiquement indéfendable, elle se retourne presque toujours contre celui qui en abuse.

Certains pays commencent à donner des droits à des rivières ou à des forêts. D'un point de vue juridique, elles peuvent être représentées de différentes manières (par exemple, par un individu désigné ou par toute personne décidant de porter plainte en cas d'atteinte). C'est une piste intéressante qui mérite d'être explorée. À condition qu'elle ne soit pas une simple poudre aux yeux et que les États aient encore un véritable pouvoir face aux entités supra étatiques qui aujourd'hui gagnent en puissance.

Les parcs nationaux, aussi utiles soient-ils pour sauver quelques bribes de diversité, je l'évoquais précédemment, constituent également l'archétype d'une aberration conceptuelle. Ils soulignent à quel point les humains ont artificiellement décidé que la nature ne faisait plus partie de leur monde. Elle n'aurait donc plus droit d'être qu'au sein de sortes de super « parcs d'attractions » sous leur contrôle. C'est toute cette logique aberrante qu'il s'agit de renverser.

Le défi que nous avons à relever concerne donc aussi une mutation de nos *valeurs*.

L'obligation dans laquelle les pays riches se trouvent de réapprendre un certain « ascétisme tendanciel » au niveau matériel n'est pas forcément une mauvaise nouvelle. Qu'il s'agisse du partage avec les humains en situation plus difficile, de la redécouverte d'une proximité avec les vivants non humains ou de l'extraction d'une forme de folie matérialiste mortifère, un immense espace de vie et de création s'ouvre à nous à cette occasion. Le Danemark a tracé une voie potentiellement prometteuse en dispensant des cours d'« empathie ».

Cette perspective est réjouissante. Mais l'exigence qui y est associée est immense. Se penser dans la continuité des autres vivants, dans une logique de coopération plutôt que de compétition, dans une éthique de connivence plutôt que de concurrence, exige une déconstruction profonde de certains fondamentaux de nos prismes sociaux.

Peut-être la mutation à mettre en œuvre pourrait-elle apparaître comme localement violente. Cette réserve doit être doublement nuancée. D'abord parce que la violence n'est pas intrinsèquement mauvaise. Quand elle s'oppose à une oppression radicale, quand elle met fin à un génocide, elle est, de fait, justifiée. Ensuite, parce qu'il serait évidemment nécessaire de travailler la construction du ressenti de la violence. Une vitre brisée peut sembler localement plus violente que les fraudes fiscales, les pollutions intenses ou les pressions extrêmes exercées sur ses salariés par l'enseigne visée. À raison ?

Tout repose sur un pari : celui de la primauté de la vie. On pourrait décider qu'il vaut mieux laisser le système se crasher et tout détruire sans état d'âme. Après tout, si un événement majeur n'avait pas frappé la Terre il y a 65 millions d'années, nous ne serions sans doute pas là et les grands reptiles régneraient à notre place : parfois, il est des accidents bienvenus. Le problème de cette vision cynique du « laisser-faire le massacre » tient à ce qu'elle oublie que les espèces sont constituées d'individus. L'extinction des espèces ne résultera que de la mort douloureuse d'un nombre incalculable d'individus. Ce ne sont pas alors des statistiques qui diminueront, mais des vivants qui expireront. La souffrance peut-elle ne pas être prise en compte ? Derrière « la vie », il y a les vivants. Tout est là. Ce ne sont pas des idées qui vont devoir – par notre choix – tenter de survivre à l'effondrement : ce sont des personnes.

Un excellent article du *Monde* daté du 10 janvier 2019 dresse le bilan écologique de l'actuel gouvernement français. Le très beau travail journalistique a le mérite de montrer la complexité du problème et l'imbrication des contraintes. On y découvre des avancées et des reculs, des lueurs d'espoir et des régressions puissantes. Mais c'est justement cette dissémination – jusqu'à la marginalisation – de la question vitale qui n'est plus possible aujourd'hui. La vie est à elle-même son propre but, elle n'est pas un accessoire.

Je pense qu'il n'y a finalement besoin ni d'une rupture intellectuelle majeure au sens strict, ni de l'invention de concepts radicalement nouveaux, ni même d'un retour en arrière (les chasseurs-cueilleurs d'un passé très ancien décimaient très souvent la macrofaune sans vergogne). Nous avons tout l'arsenal philosophique pour penser le défi, il faut maintenant agir. Le cœur de l'inflexion, au niveau « théorique », pourrait se résumer comme suit :

– Trouver ou retrouver une certaine « sacralité » de l'autre, humain et non humain. Vivre engendre nécessairement un impact parfois négatif sur d'autres vivants. Il ne s'ensuit aucunement que tout doit être autorisé ou bienvenu. Si la nuisance semble ponctuellement légitime ou acceptable, le geste qui l'engendre doit être suturé de gravité et de solennité. Il ne peut pas être anodin ou léger. Une éducation aux conséquences – directes et indirectes – de nos actions assurerait sans doute une mise en cohérence de nos comportements avec des convictions éthiques déjà largement partagées.

– Hiérarchiser nos désirs et intentions. Il est certainement inévitable que nous soyons traversés de tensions. Certains de nos plaisirs heurtent parfois nos valeurs. Il est urgent de ne plus refouler ces contradictions. Elles doivent être affrontées et discutées.

– Travailler à redéfinir nos indicateurs et nos cadres d'évaluation (si tant est qu'ils soient nécessaires). Il n'est pas possible d'accompagner une évolution profonde si nous restons prisonniers de critères (économiques, sociaux, politiques, etc.) d'un autre temps. La décroissance économique peut être vue comme une immense croissance intellectuelle, hédoniste, humaniste et écologiste. Elle n'est *pas* une régression.

– Valoriser la baisse du temps de travail et de la production matérielle au profit d'activités culturelles, relationnelles, créatrices, etc. Penser en matière de « pouvoir de vie » plus que de « pouvoir d'achat ».

– Réenchanter un rapport au réel qui s'extrairait de la fuite en avant purement technocratique, consumériste et matérialiste en accordant une connotation favorable à ce qui s'éloigne de la logique de prédation. Chaque bribe de réel est un abîme de complexité et d'étrangeté. Il y a de l'inconnu et du sublime hors des lointains voyages « touristiques » et des instruments de réalités « virtuelles ».

– S'astreindre à un peu de sérieux et de raison. On ne peut plus laisser l'avenir du monde aux lobbies du pétrole et aux grands groupes financiers. Ils sont structurellement orthogonaux à la vie en elle-même. Le pouvoir politique n'a cessé de s'étioler au profit du pouvoir économique. S'il lui reste un infime degré de consistance et de puissance, c'est aujourd'hui qu'il doit le prouver.

– Oser accepter la continuité. Les savoirs ancestraux comme les découvertes scientifiques récentes soulignent, de façon incontestable, la continuité fondamentale qui existe entre les vivants. Les fantasmes de ruptures (en particulier entre « l'homme » et « la nature ») qui ont été artificiellement introduits sont lourds de conséquences catastrophiques.

– Définir le cadre juridique qui permette la plus grande liberté individuelle possible sans que l'exercice de celle-ci ne contribue à détruire la vie sur Terre, c'est-à-dire sans qu'elle nie le fondement de ce que nous sommes.

– Éduquer les jeunes à l'immensité du « plus grand défi de l'histoire de l'humanité » et leur donner les outils intellectuels pour inventer des solutions dont nous ne percevons même pas encore aujourd'hui la possibilité.

– Tenter de rompre avec la suffisance intellectuelle qui pousse si fréquemment à considérer « l'autre » comme un ennemi et « l'incompris » comme un danger. Qui ne peut envisager le moindre ailleurs, qui ne peut questionner ses propres certitudes. Il faut endiguer le développement de ce climat de haine et de suspicion généralisées.

– Comprendre que le changement nécessaire est immense, mais qu'il peut advenir pour le meilleur, au-delà de la question écologique. Il doit également être économique et social, et il n'y aura aucun salut sans une révision drastique de toutes les inventions (parce qu'il ne s'agit pas d'un « donné » naturel et inévitable) du capitalisme moderne.

– Revendiquer un futur qui ne soit ni la répétition d'un passé archaïque ni la triste survie dans un anthropocène dévasté. Autrement dit : tenter l'expérience authentique d'un être-à-la-vie coopératif, symbiotique et commensaliste, comme l'est la grande majorité des relations dans la nature.

Rien de tout cela ne me semble littéralement compatible avec la société industrielle contemporaine. Ce n'est pas une posture idéologique, c'est une conclusion logique.

Il n'est plus exagéré de considérer qu'aujourd'hui nous entrons dans une période de catastrophe planétaire. Bien sûr, la Terre continuera de tourner autour du Soleil. Des formes de vies perdureront. Peut-être même que l'humanité (*via* les plus aisés) réussira à survivre à cette crise. Mais, privée d'une grande partie de sa diversité biologique, privée de milliards d'humains et de milliards de milliards d'animaux, privée de ce fragile équilibre atteint après une très lente et complexe évolution, que serait notre planète ? Serait-elle encore « le monde » ?

En grec ancien, deux mots peuvent être utilisés pour désigner la vie : *bios* et *zoé*. Le premier se réfère essentiellement au mode de vie commun à un groupe. Le second correspond à la vie en elle-même. Sans doute faut-il aujourd'hui inventer une véritable « zoéthique » : une pensée de la vie pour elle-même, sans l'assujettir à une attente ou une valeur supérieure.

Il faut un récit, une histoire et une iconographie de la révolution écologique. Il faut qu'elle soit un désir et pas une triste contrainte. Si elle est ressentie comme une thérapeutique face à la – bien réelle – pathologie qui touche notre monde, le combat est perdu d'avance. Pour autant, il n'est pas souhaitable de se leurrer : nous n'éviterons pas un certain nombre de désastres.

L'humain (comme sans doute d'autres animaux) est un être de symbole. *Homo symbolicus*. Il est fasciné, structuré, construit par ses symboles. Il fait des mondes avec les symboles. Il invente des langages symboliques, il en sacralise certains et en déchoit d'autres. Se trouver au volant d'une berline surpuissante alors que la vitesse est limitée n'est pas, en soi, un motif de bien profonde exaltation. Pourquoi cela peut-il le devenir néanmoins ? Parce que nous conférons à une telle possession une immense puissance symbolique jusqu'alors méliorative.

C'est là que l'effort primordial doit porter. Renverser la valeur symbolique de ce qui est encore positivement connoté, mais qui, en réalité, devrait être vu comme une faiblesse, voire une violence. Quand les objets fièrement exhibés ou les attitudes activement revendiquées ont un impact très évidemment nuisible sur d'autres humains, sur d'autres vivants, sur la possibilité d'un futur, il est de notre seul ressort de leur conférer maintenant une portée emblématique dépréciative. Il est temps que la fierté change de camp. Ce n'est pas impossible. Il y a quelques décennies, un manteau de fourrure était très favorablement connoté. Il est aujourd'hui – à juste titre – péjorativement perçu comme le signe d'une indifférence à la souffrance occasionnée.

Nous sommes des créateurs de mondes[1]. Nous construisons des mondes par nos systèmes symboliques. Et nous avons tout pouvoir sur ceux-là. Nous sommes démiurges en la matière, sans contrainte économique ou financière. Que choisirons-nous de valoriser ? Quels seront les

---

1. C'est une idée que l'on trouve, par exemple, développée par le philosophe Nelson Goodman.

marqueurs, dont la charge symbolique professionnelle, sexuelle, sociale, esthétique, éthique... sera valorisante ? Il n'est pas question de « culpabiliser » certaines attitudes (même s'il n'est pas aberrant de considérer que tout n'est pas acceptable en termes de conséquences de nos choix), mais, au contraire, de valoriser un autre être-vers-l'avenir et toute sa chaîne référentielle. Si les symboles changent, les attitudes changeront sans délai : nous agissons, en grande partie, pour plaire.

Le faste décomplexé, la richesse obscène, l'égocentrisme prédateur, le néocolonialisme assumé, la figure du mâle possédant fier de son insouciance sont immensément ringards aujourd'hui. Il est temps de faire savoir le ridicule de ces postures et de valoriser une certaine humilité responsable.

Pour un « droit à l'errance », pourrait-on proposer, en parodiant Isabelle Eberhardt, la grande arpenteuse du désert, une errance forte et noble, tout à l'inverse des codes actuels qui favorisent un individu rapidement conformé au système plutôt que la construction subtile d'un système à l'image des désirs des individus ?

Il me semble que cette nouvelle symbolique serait également humainement souhaitable. Elle permettrait enfin de donner du sens à ce qui ne relève pas de la domination sociale et qui, aujourd'hui, semble hélas ! prévaloir. Un pull de coton fabriqué dans des conditions décentes peut être plus « beau » qu'une veste de cuir griffée. C'est à nous d'en décider. C'est purement contractuel. Nous sommes maîtres de ce que nous trouvons désirable et le regard engendre immanquablement une évolution dans le sens de ce qu'il approuve. Nous sommes faits, disait Beckett, « des mots des autres », mais également du regard de l'autre. Si la conduite d'un 4×4 devient un marqueur de délinquance environnementale plutôt que de réussite sociale, les choix changeront. Et l'enjeu porte au-delà de l'écologie : il s'agit également d'inventer une nouvelle axiologie, de nouvelles « valeurs » qui permettent à la fierté de n'être plus l'apanage des (seuls) possédants, des surconsommateurs. Nous aimons être aimés et c'est là que doit porter l'effort : décider – ou comprendre – que l'aimable n'est pas celui que l'on croyait.

Et cela, aucun lobby n'a les moyens de nous empêcher de le faire.

Il ne s'agit certainement pas d'instituer ou d'instaurer un « ordre moral » rigoriste, rigide et autoritaire. Tout au contraire. Il s'agit justement d'explorer des pistes nouvelles, manifestement imprévues, qui ne s'opposent d'aucune manière à une immense liberté déconstructrice. Tous ceux qui pensent hors de l'ordre peuvent nous servir de guides. Notre vieille éthique étriquée n'est plus opérante face aux douleurs réelles et aux violences effectives.

Le nouveau mythe doit s'écrire rapidement. Dans une fulgurance qui n'est pas sans risque. Il ne peut qu'être en rupture avec un certain héritage occidental cartésien rêvant l'homme « maître et possesseur de la nature », mais pas nécessairement avec l'ensemble des ramifications passées de l'histoire humaine. Le mythique s'articule au symbolique et au praxique, irrigué de scientifique et de politique.

Le mythe est littéral. Il signifie ce qu'il dit. Il n'est ni une légende, ni un conte, ni une métaphore. Il est le nom de monde pour ceux qui le vivent. Aujourd'hui, le héros de ce

Nouveau Monde ne peut plus être Achille et sa colère ou Ulysse et sa ruse. Ni même Orphée et sa lyre. Moins encore Agamemnon et ses reîtres. Aujourd'hui, le héros ne peut être qu'un hybride.

Un homme-animal qui se sait beaucoup plus et beaucoup moins que cet homme-dieu fantasmé par notre folie arrogante. Peu importe que le récit se transmette par narration autour du feu ou par diffusion sur les réseaux sociaux. Il suffit qu'il commence et s'achève dans la continuité communielle des vivants que nous avons perdue.

Et ne supposons surtout pas qu'il s'agirait d'inventer un mythe pour remplacer la rationalité triomphante qui serait, en ce moment même, notre régulateur. Il n'en est rien. Des mythes sont évidemment aujourd'hui à l'œuvre. Ils permettent, hélas et entre autres, d'essentialiser les régimes d'inégalités et de violences qui sont les nôtres. Ils donnent l'illusion d'une « naturalité » à nos constructions souvent oppressives. Ils dédouanent des remises en cause pourtant nécessaires. Le mythe n'est ni bon ni mauvais en tant que tel : il est la mise en mots de nos espoirs et nos hantises. Il n'est pas question de « sortir du mythe », vieux fantasme à jamais inatteignable, mais d'irriguer et d'innerver le nouveau mythe des leçons de l'histoire récente.

Il n'y a plus rien de « subversif » à prôner la jouissance prédatrice qui nous caractérise déjà. Sans doute l'évolution darwinienne a-t-elle naturellement sélectionné ces caractères. Mais si la pensée exploratoire a bien un sens, c'est aujourd'hui celui de dépasser ce tropisme viscéral.

On sait que certains mécanismes physiologiques fondamentaux à l'œuvre dans notre cerveau ne poussent pas à la prévoyance à long terme. Sauver l'avenir ne génère pas beaucoup de dopamine. C'est sans doute pourquoi il faut marteler que le désastre est déjà en cours et ne relève pas d'une projection à long terme et, d'autre part, prendre profondément conscience de ce que nous faisons également face à l'opportunité enthousiasmante de recréer radicalement le monde.

Il ne suffit pas de diminuer la consommation énergétique. C'est nécessaire, mais cela ne suffit pas. Encore faut-il user correctement de l'énergie à disposition. On peut dévaster allègrement avec peu d'énergie... On peut raser la forêt avec des bulldozers à l'énergie solaire : le bilan carbone est bon, mais le geste demeure dramatique. Il serait erroné de penser le problème actuel en termes de carence à suppléer. C'est, au contraire, ce qu'a montré le théoricien de l'écologie André Gorz, la gestion de l'excédent et l'extraction d'une logique de la fructification permanente qui est le cœur de l'enjeu. (Ce qui ne nie évidemment pas l'existence incontestable de manques criants de ressources dans certaines régions.)

S'il s'agit de sauver la civilisation industrielle telle qu'elle existe, le combat n'a aucun sens, aucun intérêt. Ni aucune chance de succès. Il n'est question que de tenter d'éviter d'immenses douleurs, d'interminables agonies et des extinctions en cascade. L'enjeu n'est pas de sauvegarder le monde tel qu'il est, déjà bien abîmé et manifestement très violent. Si le désastre qui vient n'était que la perte de l'hégémonie humaine ou l'effondrement de la technosociété de surpollution, il ne serait sans doute pas un problème. Mais derrière les mots, il y a des êtres. Des milliards de milliards de vivants bientôt en détresse vitale, en souffrance ininterrompue, en angoisse insoutenable. C'est ici que le cynisme de la « catastrophe heureuse » s'épuise. Il n'est donc pas question de sauver un système ni même l'humanité en tant qu'abstraction. Il n'est question que de savoir si les êtres réels et incarnés – que nous connaissons, que nous croisons, que nous aimons – vivront un enfer ou traverseront l'expérience d'une existence au sens propre. Il n'est donc question que d'éviter un peu la mort, parce que, après tout, c'est la définition même de la vie.

L'enjeu est politique, philosophique, économique, poétique, écologique, éthique et, en un sens, cosmologique. Nous pouvons tout perdre ou gagner un réel réenchanté. N'ayons pas peur d'une véritable révolution, rien ne serait plus irrationnel et suicidaire que la poursuite à l'identique d'un être-au-monde qui, manifestement, nie le monde.

QUELQUES QUESTIONS

Je propose ici des réponses succinctes à quelques objections ou interrogations qui m'ont été adressées récemment.

Vous considérez-vous comme exemplaire dans vos comportements ?

Loin de là. Je n'ai de leçons à donner à personne et je ne me pose évidemment *pas* en exemple. Je n'échappe pas à certains des symbolismes nuisibles que je dénonce. À dire vrai, je profite de cette réflexion – heureusement – pour me poser les questions que je soulève. Je suis végétarien, je ne mets jamais les pieds dans un supermarché, je favorise l'alimentation biologique et locale, je refuse les longs voyages pour de courtes durées, etc. Il y a quelques points positifs. Mais pour le reste, ma marge de progression est considérable. J'ai récemment fait des efforts réels, mais beaucoup reste à améliorer ! Et il est comique que certains de mes détracteurs pensent avoir déniché un scoop en pointant du doigt quelques incohérences : je suis le premier à les confesser. Je crois que c'est justement parce que je fais l'expérience de ma propre faiblesse que je plaide pour des mesures politiques qui dépassent la simple bonne volonté individuelle. Et, franchement, souligner les imperfections des lanceurs d'alerte est totalement hors de propos : ils ne cherchent pas à être adulés ou élus, ils cherchent à ce que leur message soit entendu. Ils se savent membres du système qu'ils dénoncent !

Une fois encore, il n'est évidemment pas question de prôner un stalinisme écologique comme certains l'ont prétendu ! Bien au contraire. Je me définirais d'ailleurs volontiers comme étant plutôt libertaire. Mais il est question, de la même manière que nous ne pouvons heureusement pas nuire trop fortement à autrui, de s'assurer que nous ne puissions pas détruire trop facilement la vie sur Terre. Ça me semble tout de même raisonnable.

Nous ne sommes pas libres d'agresser un passant dans la rue. C'est une restriction de liberté. Mais, grâce à celle-ci, nous pouvons sortir de chez nous sans être inhibés par la peur. Globalement, c'est donc une mesure qui préserve la liberté ! De même, je pense que les lois de préservation de la vie, de la nature et du climat iront dans ce sens. Si rien n'est fait, nous subirons des privations de liberté considérables à cause de l'effondrement. Il me semble évident que de petits efforts imposés permettant d'empêcher cette catastrophe jouent en réalité dans le sens de la liberté. Et je suppose que lorsqu'un nouveau rapport au réel sera devenu évident, la dimension législative ne sera plus nécessaire.

Au niveau des mentalités, quelles seraient, selon vous, les évolutions les plus importantes ?

Sans doute le plus important est-il de ressentir la jubilation qui accompagnerait l'inflexion. Cesser de détruire peut être absolument jouissif. Il ne s'agit pas que d'éthique, mais aussi de plaisir. Je crois qu'il est possible de découvrir une véritable sublimité dans notre « dés-extraction » de la nature. En réalité, cela ouvre beaucoup plus de possibles que ça ne ferme de portes. Plus prosaïquement, j'ai été peiné récemment. Suite à notre appel, il y a eu naturellement beaucoup d'enthousiasme, mais aussi beaucoup de critiques. Celles-ci sont inévitables et en principe bienvenues. Mais j'ai constaté que tout est bon pour ne rien faire. Certains trouvent le discours inaudible parce que ne contestant pas assez le capitalisme, d'autres le trouvent inaudible parce que contestant trop le capitalisme ; certains pensent la proposition inacceptable parce que ne demandant pas assez à l'initiative individuelle, d'autres la trouvent indigne parce que trop culpabilisante, d'autres la jugent trop (ou pas assez) politique, etc. Bien sûr, il est sain que chacun ait son analyse propre et la défende. Mais enfin, face à l'immensité de la question, du défi, ne pourrait-on pas plutôt s'allier pour sauver la vie et se quereller plus tard sur des sujets moins graves ? Privilégions l'action.

Faisons-le. Diminuons drastiquement nos émissions de CO_2, cessons d'envahir tous les espaces vierges, sauvons les forêts... et nous verrons bien quel système émergera. De par mon métier de physicien, et mon goût affiché pour la philosophie, je suis plutôt favorable à ce que l'on coupe les cheveux en quatre. La nuance et la subtilité sont toujours bienvenues. Mais face à l'urgence extrême, il est aussi sain et digne, je crois, de ne pas le faire trop systématiquement et cyniquement.

Au niveau des gestes quotidiens, comment pouvons-nous concrètement agir ?

Je ne suis évidemment pas le mieux placé pour donner des réponses rationnelles à ces questions. Mon avis est partagé sur le bien-fondé des « petits gestes » précédemment évoqués (trier les déchets avec attention, ne pas utiliser de gobelets en plastique, isoler son logement, etc.). D'un certain point de vue, ça peut être une manière commode de s'acheter une bonne conscience en ne réduisant que marginalement notre impact réel. D'un autre côté, c'est souvent ainsi que les consciences s'éveillent et, en attendant mieux, il s'agit déjà d'un premier pas utile et nécessaire. Il est hélas un peu tard pour un réveil en douceur...

Ce qui me semble clair, en tout cas, c'est que nous avons des marges de progression très larges sur le plan alimentaire (en réduisant la consommation carnée et en privilégiant le bio quand on le peut), sur celui des transports (en choisissant le train quand c'est possible ou les déplacements « partagés » en automobile quand c'est nécessaire), sur notre propension à remplacer plutôt qu'à réparer, sur nos usages parfois immodérés de la climatisation ou du chauffage, sur nos choix touristiques (pour ceux qui ont la chance d'en avoir les moyens), etc.

Il faut, je crois, intégrer le fait que même si elle est légale, même si nous avons la capacité à « payer » pour cela, notre consommation souvent peu scrupuleuse a un impact fort sur les autres vivants : elle ne regarde pas que nous, tout est là. Le « chacun fait ce qu'il veut » n'a aucun sens : nous habitons la même planète et les actes de chacun ont des conséquences pour tous.

Beaucoup de gens vous demandent d'entrer en politique, allez-vous le faire ?

Non. Ce serait une contradiction dans les termes : si ma parole a eu quelque portée ou crédit, c'est précisément parce que je n'étais pas dans cette sphère. Si les discours que j'ai pu prononcer en divers lieux l'avaient été à des fins électoralistes, ils auraient perdu instantanément leur valeur. J'ai refusé les différentes propositions politiques reçues.

Souhaitez-vous poursuivre une ascension médiatique ?

Pas du tout ! Et je ne suis *pas* en ascension médiatique ! Cela fait 3o ans que j'ai le même discours. Pour une raison qui m'échappe, depuis un an, il est devenu audible. Tant mieux, bien que ce soit tardif. Mais je ne cesse de décliner l'immense majorité des invitations des médias. Et même la quasi-totalité. Non par dédain ou mépris, mais parce que le piège consiste à faire du « médium » une fin en elle-même. Il faut demeurer, ici, dans une certaine ascèse. Et laisser l'essentiel de l'espace aux véritables spécialistes. N'intervenir que quand on a vraiment quelque chose à dire.

Stratégiquement, je pense qu'il est important de voir de nouveaux visages. La parole d'un(e) seul(e) s'use. Beaucoup de journalistes s'étonnent que je ne donne généralement pas suite à leurs aimables propositions, en particulier à la télévision. Mais je pense qu'il est meilleur, pour la cause, qu'elle ne s'incarne pas dans quelques icônes. Délocalisons-la. Disséminons-la.

Et, au-delà, je n'ai pas la santé pour affronter la violence de l'invective publique. J'ai déjà goûté quelques consternantes consé-quences d'une infime visibilité. Je préfère garder du temps pour la science et la poésie. L'argumentation rationnelle ou polémique doit être dispensée avec parcimonie.

Pensez-vous qu'il faille déconnecter la question écologique de la question économique ?

Dans un premier temps, je pense qu'il faut parer à l'urgence. Chacun peut avoir son analyse, mais si on attend une révolution politico-économique pour commencer à agir, il sera tout simplement trop tard. Je pense que la question de la vie peut transcender les divergences de vues économiques. Face au « zoocide » en cours, il devrait être possible de s'accorder sur l'essentiel, indépendamment de nos sensibilités. Libéral ou communiste, je ne connais personne qui puisse se réjouir de l'atrophie de la forêt amazonienne ou de l'augmentation de la pollution parisienne. Peut-être pourrait-on, exceptionnellement, être un peu raisonnable et mettre les antagonismes de côté pour sauver ce qui peut l'être, pour ne pas tuer l'avenir avant qu'il n'éclose.

Personnellement, je pense néanmoins que le néolibéralisme n'est pas compatible avec une écologie profonde et authentique, avec un respect réel de la vie dans sa diversité et sa fragilité. Je pense que la mutation écologique doit aussi être une mutation sociale. Que ça ne peut durablement fonctionner qu'en remettant également en cause la concentration indécente des richesses et la fascination pour l'accumulation des biens.

Pouvez-vous prendre des engagements concrets de changements que vous allez mettre en œuvre à partir de maintenant ?

Je ne souhaite pas m'engager publiquement. Mais oui, en attendant les mesures politiques que j'espère, il serait bienvenu de prendre les devants. Je me suis séparé de ma voiture, que j'utilisais d'ailleurs peu (tout le monde n'a pas la chance de pouvoir s'en passer, je le sais bien). Professionnellement, je ne pense plus accepter d'aller à des conférences trop éloignées quand je peux l'éviter, car l'impact du voyage est considérable au regard du bénéfice de l'échange. Sur le plan alimentaire, je vais tenter de passer presque exclusivement au bio, local et largement végan. Sur ce dernier point, je suis parfaitement conscient qu'un étudiant qui peine à joindre les deux bouts, par exemple, aura du mal à faire de même. C'est pourquoi il me semble important que la politique – en particulier fiscale – aide à ce que les comportements plus responsables ne soient pas réservés aux plus aisés.

Avez-vous peur de ce qui va advenir ? Êtes-vous optimiste ?

Oui, j'ai peur. Il est difficile aujourd'hui de marcher en forêt sans avoir les larmes aux yeux en pensant à ce qui est en train d'advenir. Même si nous arrêtions toute destruction à cet instant, il y aurait tant de dégâts déjà faits et de souffrances endurées... Et la situation continuerait de s'aggraver pendant longtemps encore.

Je ne suis pas très optimiste. Quand on regarde le spectacle politique, tout cet engouement autour de futilités... On discute pendant des jours, dans les plus grands médias, de la personnalité d'un ministre et du bon goût (ou non) de la photo d'un Président en déplacement, on disserte sur l'image de telle ou telle secrétaire d'État, on s'interroge sur la bonne manière d'incarner, d'exprimer, d'expliquer le pouvoir, les institutions, etc. Tout cela me semble tellement futile. Il n'est pas rare qu'un responsable politique soit interviewé pendant des heures sans que la question écologique soit même abordée. Un peu comme si nous étions en pleine guerre et que nous parlions de tout sauf de la guerre ! Notre avenir est dans une situation critique, la vie est menacée dans beaucoup de ses modalités et le sujet est parfois… oublié !

Je ne sais pas si nous serons capables de mesure et de tempérance. J'ai parfois l'impression que c'est impossible, et trop antagoniste à ce que nous sommes. J'espère me tromper.

Il y a quelques motifs d'espoir. Par exemple, en France, l'industrie se tient à la baisse annoncée des émissions de CO_2. L'Europe tient correctement ses objectifs de diminution (essentiellement à cause de la crise récente) des émissions de gaz à effet de serre.

Mais l'évolution globale est encore tournée dans la mauvaise direction. Au niveau mondial, les 2 dernières années marquent un « redémarrage » des émissions.

Y a-t-il un sens à effectuer une transition en France si le reste du monde ne suit pas ?

Oui. Nous apprenons à nos enfants que l'éventuelle inconséquence de leurs amis n'est évidemment pas une raison suffisante pour justifier qu'ils s'adonnent, eux-mêmes, à des comportements agressifs ou irrespectueux.

Au-delà de la valeur d'exemple, nous avons aujourd'hui l'opportunité de construire un axe écologique Europe-Afrique qui ne relèverait plus du symbole, mais d'un véritable lieu d'expérimentation à l'impact notable.

Croyez-vous qu'un miracle technologique peut nous sauver ? Que le « génie scientifique humain » trouvera une solution ?

Je n'y crois pas une seconde. Naturellement, la technologie peut aider. Il est tout à fait évident qu'en matière de diminution des émissions de gaz à effet de serre, certains progrès technologiques peuvent amoindrir quelques effets néfastes. Mais il ne faut surtout pas perdre de vue que la seule véritable solution est la baisse de la consommation – ce qui ne veut *pas* dire la baisse des avancées intellectuelles, culturelles, esthétiques, scientifiques, etc. Il n'y a pas d'énergie propre. Il ne suffit pas qu'elle soit estampillée « verte ».

Croire qu'un miracle technologique salvateur surviendra me semble indéfendable pour plusieurs raisons. D'abord, parce que les dégâts sont déjà en cours, le mal est en train de se faire. Même si un retournement imprévu avait lieu dans 5o ans, il y aurait déjà eu un nombre incalculable de vivants sacrifiés et cela n'est pas rien. Ensuite, parce que, sur le plan scientifique, je ne vois absolument aucun indicateur qui laisse espérer un tel miracle. Y croire relève d'un acte de foi, certainement pas d'une analyse rationnelle. Enfin, quand bien même nous irions coloniser Mars comme le suggèrent certains (ce qui est littéralement irréaliste à mon sens), il n'y aurait évidemment que très peu d'– heureux – élus ! Et surtout : même si nous y survivions, un monde où la *méga high-tech* aurait remplacé les fougères et les mulots est-il souhaitable ?

La technologie n'est pas un détail. Elle peut beaucoup. Elle fait partie intégrante de notre monde. Mais la question qui est ici abordée est d'une tout autre nature et d'une tout autre mesure.

Le traitement médiatique de la crise est-il suffisant ?

Il ne l'est pas, même si, pour une partie de la presse, des améliorations réelles sont à noter. Faire porter le chapeau aux journalistes est un peu trop facile – d'autant que certains excellent – et c'est une grossièreté dans laquelle je ne voudrais pas tomber. Nous avons, en moyenne, les journalistes et les politiques que nous méritons : nous lisons les premiers et élisons les seconds. Ils sont le reflet de nos attentes et la responsabilité est donc collective. Mais la place accordée au drame planétaire est, reconnaissons-le, insuffisante. Comme l'est d'ailleurs l'importance souvent dérisoire accordée aux immenses drames humains dès lors qu'ils se déroulent à l'extérieur du territoire national ou touchent les plus démunis. Je ne regarde pas le journal télévisé, mais quand il m'arrive de le voir chez mes parents, je suis stupéfait du temps consacré à des anecdotes insignifiantes – parfois dès l'ouverture – alors que l'essentiel est relégué à ce qui devrait être la place du fait divers. Heureusement, certains médias échappent avec panache à ce constat et informent avec opiniâtreté et honnêteté. Mais, quand elle perdure, cette construction des hiérarchies est lourde de conséquences : elle participe à la création d'une image du réel extraordinairement biaisée par rapport à l'axiologie que j'appelle ici de mes vœux. Plus étonnant encore : face à l'émergence du message écologique, une certaine presse a pris fait et cause pour détruire – par tous les moyens – cette prise de conscience naissante.

Que pensez-vous du nucléaire ?

La question du nucléaire a phagocyté le débat. L'immense problème écologique a été bien trop rabattu sur la seule interrogation : « Faut-il sortir du nucléaire ? » Or ce n'est qu'un petit aspect de la question et c'est pourquoi je ne l'ai volontairement pas abordé. C'est un problème complexe qui demande de la nuance. Il y a d'authentiques écologistes qui sont fermement en faveur du nucléaire. Et d'autres, plus nombreux, fortement en défaveur.

Une centrale nucléaire n'émet pratiquement pas de CO_2 et c'est une bonne chose. Mais le nucléaire n'est pas sans poser par ailleurs problème. La plus grave des difficultés concerne certainement les déchets à durée de vie longue. Le stockage est hautement délicat et plus qu'incertain sur des échelles de temps qui dépassent de très loin les échéances auxquelles une stabilité politique est envisageable. Il y a là, à mon sens, un risque majeur. Le démantèlement des centrales, d'un coût extrêmement élevé, relève également d'une grande complexité. Et les réserves sont loin d'être, de toute façon, inépuisables.

Pour autant, il ne me semblerait pas raisonnable de mettre en œuvre une sortie précipitée du nucléaire. Elle se solderait par le recours à des énergies fossiles qui contribueraient bien davantage au réchauffement climatique. Ce dossier complexe mérite toute notre nuance. Mais, pour ce qui me concerne, je peine à penser le nucléaire – dans sa forme actuelle – comme une solution acceptable sur le long terme. Je n'imagine pas non plus que la France en sorte rapidement : c'est concrètement infaisable.

Je ne suis pas opposé à la recherche sur la fusion nucléaire, mais il s'agit d'une éventualité pour le très long terme. Et il est

indispensable que les budgets consacrés à ces
études n'obèrent pas les travaux sur les autres
énergies possibles (solaire, éolien, biomasse,
marémotrice, etc.).

N'est-il pas trop tard ?

Cette question n'a pas de sens. Trop tard
pour quoi ? Si l'on veut dire « trop tard
pour qu'il ne se soit rien passé de nuisible »,
évidemment oui ! Il est trop tard depuis des
millénaires, trop tard depuis toujours… Si
l'on veut signifier « trop tard pour éviter que
ce soit pire encore », il n'est évidemment
jamais trop tard. On peut *toujours* occasionner
plus de dégâts et détruire davantage. Je ne
comprends pas ce que « trop tard » peut
signifier. L'argument suivant lequel tout serait
autorisé parce qu'il est « trop tard » est le plus
inepte que l'on puisse trouver.

*Ne vous enfermez-vous pas dans une sorte de
« bien-pensance » systématique ?*

Serait-il préférable de revendiquer la
« mal-pensance » ? Soyons sérieux : il n'est
pas ici question de morale. Il est question de

choix. Souhaitons-nous devenir la génération qui aura dévasté en quelques décennies ce que des dizaines de millions d'années d'évolution complexe étaient parvenues à élaborer ? Souhaitons-nous être ceux qui ont décidé qu'ils n'auront pas de descendance ? S'il s'agit de conspuer la posture écologique au titre de ce qu'elle serait peu subversive, peu nietzschéenne, ou trop consensuelle, c'est une mauvaise plaisanterie. Qu'elle soit assumée ou non, la posture ultradominante est évidemment celle d'une prédation désinvolte et inconséquente. Hors de toute éthique, même au pur niveau esthétique, si l'on souhaite aujourd'hui un peu de neuf, d'étrange, d'inouï, ce n'est certainement pas dans un dernier geste de sauvetage d'un système oppresseur et destructeur usé jusqu'à l'os qu'on le trouvera.

Je suis également engagé pour l'ouverture des frontières aux réfugiés, pour les droits des animaux, pour la lutte contre le sexisme, l'homophobie, l'antisémitisme et l'islamophobie, contre l'indifférence à la pauvreté (même hors de nos frontières), et je ne pense pas devoir en avoir honte.

Et je continuerai d'aimer, de lire et de réciter avec passion les poèmes de Genet ou Pasolini, même s'ils n'ont rien à voir avec l'écologie. Encore que...

Vous prônez des mesures légales, mais la liberté n'est-elle pas « non négociable » ?

Quand il n'y aura plus de vie, à quoi servira la liberté ?

Surtout : il n'y a pas de sens à faire comme si la « liberté totale » était actuellement à l'œuvre et devait être défendue. Un nombre incalculable d'articles de lois régit ce qui est autorisé et ce qui ne l'est pas. Pour le bien commun, pour que la violence de certains n'entrave justement pas la liberté des autres. Je souhaite simplement que notre violence extrême envers la vie fasse maintenant partie de ce qui n'est plus autorisé. Au moins le temps que cela nous devienne évident. Pour que nous jouissions de la liberté de ne pas mourir.

Que pensez-vous de la question démographique ?

C'est un point particulièrement délicat.

Là encore il y a un piège : considérer que la démographie est le seul problème et que donc seuls les pays à démographie galopante ont à faire un effort. Cette analyse est inacceptable pour plusieurs raisons. D'abord, les pays à haute croissance démographique sont plutôt des pays pauvres et on imagine aisément la forme de colonialisme que représenterait le fait de leur imposer un mode de vie orthogonal à leurs attentes. (Certains – un ancien président de la République en particulier – n'ont pas hésité à oser franchir ce pas.) Ils ont déjà très peu, on ne peut pas leur demander de renoncer à l'une des seules richesses dont ils jouissent. Le fait est, d'ailleurs, qu'ils ne sont pas les plus gros pollueurs. Ensuite, parce que, contrairement à d'autres observables, la population mondiale n'est pas en croissance exponentielle : elle devrait être stabilisée à l'horizon 2050. Enfin, parce que si les richesses et les ressources sont mieux réparties, dans un rapport apaisé à la vie, une population plus importante que celle actuellement présente pourrait avoir un impact nettement inférieur à celui que nous produisons aujourd'hui.

Les 50 % les plus pauvres de l'humanité (presque toujours dans des lieux de forte croissance démographique) émettent 10 % du CO_2 tandis que les 10 % les plus riches en émettent 50 %. Faire reposer le problème sur la démographie est simplement une incompréhension du problème.

Il serait certainement souhaitable que les humains soient moins nombreux. Pour nous-mêmes et pour les autres vivants. Mais je pense qu'il faut tendre vers cette « décroissance » numérique de façon non autoritaire et, surtout, non colonialiste. On sait par exemple que les systèmes de solidarité – tels que l'assurance maladie, une retraite digne, l'assurance chômage, etc. – favorisent très fortement une baisse de la natalité (les enfants cessent d'être la seule « assurance pour la vieillesse »), tout en améliorant la qualité de vie. Là encore, il apparaît que les dimensions sociales et écologiques sont liées et se soutiennent mutuellement : on peut gagner sur tous les tableaux.

Finalement, la double erreur de la surfocalisation sur la démographie pourrait se résumer comme suit. D'abord, dans un régime de croissance exponentielle de l'usage des ressources et de destruction des écosystèmes, limiter le nombre de personnes ne retarde que de quelques années des résultats identiques. Ensuite, quand bien même une certaine forme de « crash » ou d'effondrement pourrait être endiguée par une démographie moindre, ce que je ne pense pas, nous ne serions parvenus qu'à maintenir un *statu quo*, certainement pas à résoudre les problèmes qui rendent ce monde si douloureux. Nous tuons en ce moment environ 100 milliards d'animaux terrestres par an. S'il y avait 25 % d'humains en moins, ce chiffre tomberait (peut-être, mais c'est de plus peu probable) à 75 milliards. En quoi cela résoudrait-il quoi que ce soit ? Ce sont les habitudes qu'il faut changer, pas le nombre de ceux qui s'y adonnent.

Que pensez-vous des prises de position d'Emmanuel Macron lors de la création du Haut Conseil pour le climat ?

Le chef de l'État semble prendre conscience de la gravité extrême de la situation écologique globale et c'est une bonne nouvelle.

Cela suffira-t-il pour autant ? De nombreux aspects, essentiels, ont été passés sous silence dans le discours essentiel de novembre 2018. Mais surtout : les mots seront-ils suivis de faits ? L'histoire récente appelle à la plus grande prudence et à la plus grande vigilance. Et quand bien même serait-ce le cas, il n'est sans doute pas possible de faire face au drame actuel en tentant désespérément de sauvegarder un système mortifère et agonisant. Il faudra aller plus loin.

Face à ce défi, le plus grave et le plus global de l'histoire de l'humanité, le plus difficile aussi, il ne saurait être question de s'en tenir à des ajustements de détail.

Il est rassurant de noter que le président de la République annonce, si je l'ai bien compris, la nécessité d'une baisse de la consommation. C'est une évidence scientifique : une croissance exponentielle de l'utilisation des ressources dans un monde fini n'est pas tenable longtemps, nous mènerions le système « planète Terre » au crash. Ce n'est pas un détail.

Il est également heureux de noter que M. Macron évoque les 48 000 décès annuels, rien qu'en France, dus à la pollution. Ce chiffre affolant devrait susciter une réaction à sa démesure.

Enfin, la reconnaissance de ce que la transition écologique – si elle a effectivement lieu puisque pour le moment aucune action réelle n'a encore été entreprise – est génératrice d'emplois et, évidemment, convergente avec le progrès social est une bonne chose. De même, d'ailleurs, que la volonté de développer des énergies non carbonées. Les premières victimes du désastre écologique seront les plus démunis, comme s'en est inquiété le chef de l'État, et cette préoccupation est donc tout sauf élitiste.

Je pense enfin que le Président a raison de viser une sortie « lente » du nucléaire. S'en extraire immédiatement serait catastrophique et imposerait de recourir à des énergies terriblement plus néfastes sur le plan climatique. Souhaiter y demeurer dans le long terme pourrait être irresponsable compte tenu des dangers associés aux déchets.

Emmanuel Macron me semble avoir évoqué avec nuance (du point de vue du système dans lequel il évolue) et précision un certain nombre de points importants.

Il ne saurait pourtant être question d'en demeurer à une satisfaction de façade. D'abord, il y a, je crois, des manques essentiels dans le discours du Président. Sur le plan social, évidemment. Le niveau des inégalités n'est plus tenable et cette question est un des versants du problème écologique. Sans mentionner les dérives autoritaires qui font littéralement frémir.

Et, pour en rester à l'aspect purement environnemental, il est très contrariant que l'expansionnisme débridé des territoires humainement impactés n'ait pas été mentionné. Nous ne pouvons plus continuer à envahir tout l'espace. Les autres vivants – avec lesquels nous sommes en interdépendance – n'ont plus de lieu pour vivre. C'est actuellement une cause majeure de disparition des espèces. Nous sommes au cœur de la sixième extinction massive et la cause principale de celle-ci (qui n'est *pas* à ce stade le réchauffement climatique) n'est presque jamais abordée ! Il est également étonnant et inquiétant que les très graves problèmes de pollution liés, par exemple, à l'emploi du plastique n'aient pas été abordés avec plus de fermeté. Des mesures semblent avoir été prises depuis lors, mais avec trop de réserves et un calendrier retardé.

Le risque de l'évolution esquissée par le Président, c'est peut-être avant tout celui d'une nouvelle tentative de sauvetage d'un système intrinsèquement incompatible avec la vie. On ne combat pas des bombes atomiques avec des épées de bois, on ne combat pas une crise d'ampleur planétaire par des mesures d'ajustement.

Face à cette fin du monde, il faut aller plus loin, plus vite et surtout plus profond que ce qui a été suggéré par le chef de l'État. Sans doute est-il souhaitable, comme le propose M. Macron, de favoriser les véhicules électriques qui seront – un peu – moins polluants. Mais on ne peut pas continuer exactement « comme avant ». On ne peut pas en rester là. On ne peut pas se contenter de changer superficiellement les accessoires sans interroger les enjeux et les objectifs.

Il faut aussi que nos représentants au plus haut niveau comprennent que c'est toute notre conception de la nature qui doit être urgemment repensée. Ils ne sont pas formés à faire face à ces questions abyssales. C'est cette mortelle velléité à nous extraire d'une nature dont nous sommes pourtant un élément parmi tant d'autres qui doit être mise sur la table. C'est un travail politique, mais aussi éthique et philosophique. Il n'est pas question de revenir à l'âge de pierre, mais au contraire d'inventer, enfin, un devenir radicalement autre qui s'extrait de la logique de domination et d'appropriation.

On devrait multiplier les « expérimentations » et s'inspirer des ZAD ou communautés alternatives qui fonctionnent correctement.

Pour faire face au désastre écologique, chacun a son analyse sur les « racines du mal ». Et les analyses sont divergentes. Mettons en place les mesures qui seront recommandées par le Haut Conseil pour le climat créé par M. Macron – y compris quand elles seront incompatibles avec les dogmes en vigueur –, et allons au-delà, car il le faudra sans aucun doute. Très profondément. Nous verrons bien, *a posteriori*, quel système permettra de mener cette révolution : personne n'est aujourd'hui capable de l'imaginer *a priori*.

Le seul espoir face à la catastrophe en cours, c'est que, forcés d'inventer un autre rapport à la nature, du dedans, nous soyons aussi contraints d'inventer un autre rapport à nos semblables. Peut-être la nécessité écologique sera-t-elle finalement l'origine du renouveau social tant attendu ? Nous pouvons ici tout perdre. Mais aussi gagner ce qui semblait inaccessible. Les temps sont décisifs.

Le grand débat aurait été intéressant... s'il avait été réel. Mais, là encore, je suis circonspect : le choix des questions et la manière de les formuler permettent-ils, en l'état, l'émergence de l'immensité du changement écologique et social qui me semble nécessaire ?

Récemment, le Haut Conseil pour le climat a rendu publiques ses missions. Elles ne sont pas ineptes. Mais si timides. On apprend qu'une réunion de ministres « dédiée à la transition écologique » aura lieu tous les deux mois... Ce qui, je le crains, résume bien notre incapacité à comprendre qu'il ne devrait plus s'agir d'une question parmi d'autres (et de plus manifestement secondaire dans la vision actuelle), mais d'une révolution « en marche » ! Cette marche, d'ailleurs, ne serait pas en rang. Elle serait erratique et extatique.

Avec qui faut-il s'allier face à ce péril ?

Un des grands problèmes de l'action politique, en particulier à gauche, vient des luttes intestines entre ceux qui partagent pourtant globalement les mêmes valeurs, mais dont les analyses diffèrent sur des points de détail. Quand il s'agit de la sauvegarde de la vie, je pense que nous devrions être raisonnables. J'ai constaté à de nombreuses reprises que certains rechignaient à rejoindre des initiatives à cause de la présence de telle ou telle association ou personnalité avec laquelle ils ne partageaient pas toutes les conclusions. Chaque action est toujours considérée comme trop radicale pour les uns et pas assez pour les autres. Nous n'en sommes plus là. Il est temps que les forces de vie s'allient, même quand, ici ou là, il y a des divergences.

Je crois qu'il faut aussi s'inspirer de tout ce qui n'est pas le cœur du dogme occidental industriel. En particulier, un nouveau regard sur l'Afrique, un regard fondé sur l'humilité et le profond respect – et non plus sur la condescendance ou le colonialisme masqué – serait essentiel. Nous avons ici beaucoup à apprendre. L'Afrique, écrivait le grand poète Sony Labou Tansi, n'est plus le nom d'un puits de matières premières, mais celui d'une « culture du scandale ». Nous avons besoin de ce scandale.

Comment cet engagement s'articule-t-il à vos autres activités scientifiques, philosophiques, poétiques ?

Il ne s'y articule pas. Pourquoi tout devrait-il toujours être assujetti à une cohérence globale fantasmée ?

Mon travail scientifique porte sur la cosmologie et la gravitation quantique, l'origine de l'Univers et la structure des trous noirs. Avec mes collègues et doctorants, nous calculons les conséquences des nouvelles théories sur le modèle du big bang et les processus astrophysiques de haute énergie. C'est assez passionnant, mais éloigné du problème écologique !

Sur le plan philosophique, je m'intéresse à l'exploration des modes du désordre pour tenter de frayer un sens dans une certaine pensée du chaos et du multiple. Ce qui me conduit également à m'opposer à un scientisme naïf qui supposerait que la science appréhende la totalité du réel.

Mes petites explorations poétiques et artistiques sont ailleurs. Parce que, finalement, au-delà des batailles « globales » que nous n'avons plus le choix de ne pas mener, je pense qu'il ne faut jamais oublier – dans une vision assez épicurienne – que le monde est aussi et avant tout local. *Hic et nunc*. Dans une sorte de paralogie du *clinamen*.

Nous sommes tous multiples. Ne reconstruisons pas une fausse unité entre ces modes gracieux de leur hétérogénéité.

Doit-on vraiment tenter de sauver le monde tel que nous le connaissons ? Le peut-on ?

Pour moi, c'est sans doute la question la plus difficile. Bien sûr, on pourrait être cynique et répondre négativement. On pourrait arguer qu'après la chute viendra une renaissance.

Il est très probable que si nous allons à la catastrophe, la vie reprendra ses droits au bout de quelques millions d'années. Et une nouvelle exubérance naîtra. Certes.

Mais ce serait oublier un peu vite que sous les espèces, il y a des individus. Que sous les statistiques, il y a des personnes. Penser « peu importe que des races disparaissent et soient remplacées par d'autres » est une chose. Revendiquer son corollaire, « je décide que mes enfants vont mourir », en est une autre. Et pourtant ces deux phrases constituent une seule et même idée. Et ce non-avenir que nous décréterions alors pour nos successeurs ne prendrait pas seulement la forme d'une mort prématurée, mais aussi, certainement, celle de guerres, de famines, de déportations... Sans compter que nous emporterions avec « nous » des millions de milliards d'animaux qui n'ont en rien choisi cette apocalypse. La posture cynique me semble difficilement tenable si l'on pense à l'échelle de l'individu, la seule qui importe réellement. Elle a quelque chose d'obscène : confortablement installés devant leur ordinateur, certains aiment à commenter sur les réseaux sociaux « peu m'importe la fin du monde, après tout elle est inévitable, on doit tous mourir », avec ce ton d'arrogance hautaine de ceux qui « ont compris » ce qu'il se passe. C'est toujours le même schème : la douleur et la mort sont infiniment plus acceptables quand elles ne nous touchent pas ici et maintenant.

Je ne sais pas si nous pourrons le faire. Rien ne permet d'être aujourd'hui optimiste. S'il ne s'agit que de survivre sur une planète dévastée – transformée en poubelle et en étuve – alors, en effet, peut-être vaut-il mieux renoncer. Mais les souffrances seront plus qu'immenses. Incommensurables à toutes les autres au cours de notre brève histoire. Il est encore trop tôt pour l'accepter. Il n'est pas impossible que nous échappions au pire. Peut-être cela relèverait-il effectivement du miracle. Mais la vie, elle-même, est une sorte de miracle.

QUE SE PASSE-T-IL MAINTENANT ?

Une petite année s'est écoulée depuis l'écriture de la première version de ce livre. Il est sans doute possible d'y voir maintenant un peu plus clair. Et ce n'est pas forcément réjouissant.

Un point de satisfaction : les initiatives fleurissent. D'un côté, le groupe Extinction Rebellion (XR) s'est fait connaître du grand public. Les politologues sont formels sur un point : il n'y a jamais eu de révolution systémique sans que le système soit empêché de fonctionner. Or, il nous faut une révolution systémique. Le mouvement XR prend cette vérité historique au pied de la lettre et se place dans une démarche de désobéissance

civile non violente. Où cela nous mènera-t-il ?
Nul ne le sait et tout est possible. Bien sûr, des
dérives inacceptables peuvent se produire.
Mais quelque chose est tenté et la pire
violence, la pire cécité, la pire hypocrisie,
aujourd'hui, ce serait précisément l'immobilisme qui conduit à un désastre annoncé.
Les vrais « radicalisés » sont ceux qui désirent
continuer à aller vers le mur.

D'autre part, la Convention citoyenne
a été réunie. Elle suit une logique à peu
près opposée en se cramponnant à l'action
politique. Mais une action politique littéralement citoyenne, sans censure, sans
pression électorale ou carriériste. Une
tentative de démocratie directe. Y a-t-il des
risques d'instrumentalisation ou de prétex-
tualisation ? Évidemment oui. Pour autant,
si elle est très soutenue, très discutée, très
scrutée, cette assemblée tirée au sort et
encadrée avec bienveillance et rigueur par
Cyril Dion pourrait conduire à des résultats
très étonnants.

Il est aisé de voir les limites, les risques,
les vacuités ou dangerosités potentielles de

ces deux démarches – qui ne sont pas nécessairement antagonistes l'une de l'autre. Il serait simple d'énumérer leurs faiblesses et contradictions dans d'innombrables articles, qui ne manquent d'ailleurs pas de fleurir. Mais, peut-être, pour une fois, pourrions-nous user de notre énergie pour nous unir et nous allier face au « plus grand défi de l'histoire de l'humanité » ? Et si, pour une fois, nous essayions d'y croire ? De retrouver une forme d'ingénuité et de le faire. De faire la vie. Confucius écrivait : « Lorsque tu fais quelque chose, sache que tu auras contre toi ceux qui voudraient faire la même chose, ceux qui voudraient le contraire et l'immense majorité de ceux qui ne voulaient rien faire. » Il faut sortir de cela.

Un second motif d'espoir : l'écologie s'est symboliquement démarginalisée. Elle est devenue un sujet autorisé de conversation politique. Elle fait maintenant partie du spectre des idées auxquelles il est possible de référer sans passer pour un fou ou un naïf. Elle est une couleur possible de la palette des options. Ses liens indéfectibles avec la justice sociale et la décolonisation intellectuelle ont été mis en lumière. Bien. Nous avons au moins réussi cela et ça ne vaut sans doute pas rien. Notre être-au-réel a-t-il pour autant été profondément infléchi ? La révolution est-elle en cours ? Rien n'est moins sûr, car ce n'est précisément pas *via* cette logique qu'il serait vraisemblablement possible de voir émerger la rupture nécessaire : en demeurant une proposition « parmi d'autres », la pensée écologique ne peut pas se déployer ou se ramifier suivant les modalités qui la rendraient opérante. Non pas qu'elle doive devenir totalitaire ou totalisante, mais qu'elle nécessite structurellement de se placer dans une démarche tout autre qu'un simple jeu de tactique politique.

Les dernières nouvelles ne sont globalement pas très bonnes. Des incendies démesurés ont dévasté les forêts. Selon l'Organisation météorologique mondiale, il s'agit d'un problème non plus local mais planétaire. Le réchauffement climatique joue très probablement un rôle important dans le déclenchement de ces feux qui, en retour, contribuent substantiellement à celui-ci. Le cercle est devenu vicieux.

Il reste moins de la moitié des arbres que la Terre comptait avant que l'humanité se lance dans l'agriculture. Mais le problème qui s'exacerbe ici est plus grave encore et révélateur à plus d'un titre.

D'abord, il est étrange de constater la violence de nos hiérarchies. L'embrasement de l'Amazonie émeut. Il est raisonnablement médiatisé, quoique les leçons n'en soient nullement tirées – il est un peu facile de se contenter de fustiger le fascisme, certes bien réel, de Bolsonaro en oubliant que notre alimentation carnée est la véritable cause du déboisement au Brésil. (Quelques jours après ces incendies et leur condamnation unanime, un gigantesque navire de 225 mètres de long accostait en France, empli de 60 000 tonnes de soja brésilien émanant de zones massivement dévastées.) Les millions d'hectares partis en fumée en Sibérie ont été nettement moins évoqués. Quant au drame des innombrables forêts subsahariennes carbonisées dans le même temps, il est passé presque entièrement inaperçu dans le monde occidental. Le scandale n'est pas qu'écologique : il est immiscé jusque dans la très signifiante taxinomie de nos indignations.

Ensuite, il est important de penser la dimension symbolique de l'événement. La cathédrale Notre-Dame de Paris en feu a suscité un saint émoi collectif. Un édifice de cette ampleur est plus qu'un simple amoncellement de roches, de bois et de verre. Il est, pour certains, un geste vers le sacré. Il est, pour d'autres, un témoignage historique. Il est, pour tous, une relique fragile du génie humain. Nous avons compris – croyant ou non – qu'une église est plus qu'une église. Il semble hélas que nous n'ayons pas encore compris qu'une forêt, elle aussi, est plus qu'une forêt. Elle n'est pas une abstraction ou un concept. Elle est un ensemble de milliers de milliards d'êtres vivants en interaction. Elle est un réseau symbiotique infiniment complexe dont chaque partie – que l'espèce soit menacée ou non – est littéralement unique. Tant que la forêt sera pensée comme un « poumon », c'est-à-dire un organe remplissant une fonction, nous n'aurons pas entrepris le premier pas de la révolution qui sauverait. La forêt vaut en elle-même, par elle-même, pour elle-même. Elle n'est pas là pour recycler nos émissions de dioxyde de carbone. Elle n'est pas utile au monde, elle est le monde. Alors même que de nouvelles études scientifiques viennent étayer l'idée d'une forme de « collaboration » encore mal connue entre les arbres, nous rabattons la forêt sur un usage instrumental qui neutralise toute possibilité d'évolution réelle.

Enfin, peut-être faudrait-il oser renverser l'assertion. L'incendie n'a finalement pas détruit la forêt. Il l'a au contraire inventée, comme on invente un trésor : en le dépossédant de son mystère, de son aura. Morte, carbonisée, vaporisée, la forêt est maintenant devenue une simple forêt. Un mot sans ailleurs, un signifiant sans signifié, un concept sans au-delà. Les vivants brûlés vifs dans ces incendies titanesques ne sont pas « reconstructibles ». Et c'est là le point nodal. Comment peut-on aujourd'hui évoquer des dégâts *réversibles* ? Cette idée est littéralement ahurissante. Comment la mort peut-être être retournée ou renversée ? La disparition, dans d'invraisemblables souffrances, d'innombrables êtres sensibles est, par essence, irréversible. Oser

– comme cela est aujourd'hui fréquemment le cas – évoquer des dommages *réparables*, c'est opérer une réification sidérante qui montre que rien n'a encore été compris. C'est voir tout ce qui n'est pas soi comme une simple ressource. C'est considérer que la vie des autres n'est qu'un matériau à l'usage de son propre confort. C'est reproduire une fois de plus, une fois de trop, cette erreur qu'on pourrait presque dire originelle – au moins primitive.

La canicule de l'été 2019 a eu une conséquence majeure du point de vue des comportements : les ventes de climatiseurs se sont envolées. Ils contribueront, naturellement, de façon massive au réchauffement... Et ce de façon particulièrement injuste puisqu'ils en masqueront les conséquences à ceux qui, par cet achat, vont précisément le favoriser. Dans le même temps, le Niger a déclassé la plus grande réserve naturelle d'Afrique au profit de l'extraction pétrolière. Un bien bel été.

Au-delà de ces épisodes, certaines leçons doivent être tirées des masques qui sont récemment tombés. La question écologique a été abordée comme jamais dans le débat public.

Et les réactions ne se sont pas fait attendre. Les forces en présence sont maintenant bien dévoilées et une chose est claire : les « opposants » à la transition écologique ne lâcheront rien. Ni le caractère scientifiquement incontestable de la catastrophe en cours, ni les menaces qui planent sur notre propre descendance, ni l'incohérence – du point de vue même de leurs propres critères – qu'il peut y avoir à foncer dans le précipice ne suffiront. Ils sont prêts à tout pour ne rien renier de leur confort immédiat ou de leurs habitudes héritées. À qui ce « ils » réfère-t-il exactement ? Peu importe. Magma diffus de forces réactionnaires, d'organes de presse inconséquents, de sites Web à la solde de grands groupes industriels, d'acteurs puissants du milieu économique, d'hommes et de femmes politiques sans scrupule, de citoyens mal informés, de citoyens bien informés mais guidés par une idéologie suicidaire… Tous les arguments leur sont bons pour justifier l'immobilisme mortifère. Passons rapidement en revue les plus banals. De nouveaux fleurissent sans cesse, mais leur logique est toujours la même.

1. *Les écologistes seraient des despotes en puissance*, des « Khmers verts », des êtres malfaisants usant du prétexte du drame de la vie pour imposer un système politique autoritaire. C'est assez cocasse ! Ils n'ont ni armée, ni lobbies, ni puissance économique. Ils sont souvent issus d'une mouvance libertaire. Ils plaident pour un peu plus d'amour envers la vie face à une situation pour le moins critique, et ils constitueraient donc le vrai danger de ce temps... Quiconque a lu quelques lignes de théorie politique écologique sait qu'aucun mouvement n'est plus « radicalement » éloigné de toute velléité dictatoriale. En revanche, il est vrai que si la pensée écologique est ignorée, les pénuries extrêmes et déplacements massifs de populations engendreront très vraisemblablement la recrudescence de régimes autoritaires et possiblement génocidaires. Et, ironiquement, il y a fort à parier qu'on fera alors appel, pour gérer cette situation, aux forces réactionnaires qui contribuent précisément à la créer en ignorant le message écologique.

2. *Les lanceurs d'alerte seraient irrationnels.* Ils relaient aujourd'hui, littéralement, le message

des chercheurs spécialistes, mais sont qualifiés de prophètes de malheur ou de gourous apocalyptiques. Ils sont l'écho des découvertes scientifiques consensuelles et cela les rendrait donc... irrationnels ! Étonnant renversement. La croyance de type magique – indûment présentée comme logique – en un miracle technologique relève de la mauvaise farce puisque le problème majeur n'est évidemment pas de trouver, par exemple, une « énergie propre » (ce qui est déjà quasiment impossible) mais de faire usage de cette énergie d'une manière qui ne dévaste pas le monde. La question est éthique et non pas technique.

3. *Les donneurs de leçons ne seraient pas si exemplaires que cela.* Voilà qui est tout à fait exact ! Nous sommes *tous* accros à la consommation. C'est pourquoi l'enjeu de la « dénonciation » du crime de masse en cours ne consiste certainement pas à clamer « faites comme nous ! ». Aucun lanceur d'alerte, à ma connaissance, ne profère cette injonction. Nous disons tout au contraire : « Il y a un problème majeur, auquel nous participons bien sûr nous aussi et il est temps que nous tentions de le résoudre

ensemble. » Pointer du doigt les éventuelles incohérences des porte-parole de la cause du vivant n'a littéralement aucun sens : c'est n'avoir pas compris qu'ils ne cherchent ni à plaire, ni à être aimés, ni à se faire élire, mais juste à attirer l'attention sur un drame dont ils se savent aussi acteurs. C'est projeter sur eux, en leur attribuant des ambitions qu'ils n'ont pas, les schèmes et les valeurs d'un monde qui n'est justement pas le leur. Comme il est insensé de souligner que leurs diplômes ne sont pas toujours adaptés à la cause qu'ils soutiennent : reproche-t-on à celui qui dénonce un crime de n'être pas criminologue ? C'est aberrant.

4. *Les militants de la biodiversité et du climat seraient alarmistes.* Il conviendrait d'opposer à l'agitation un peu puérile des écologistes le calme froid et rassurant des gens sérieux et mesurés. Hélas, les faits scientifiques sont précisément du côté des (bons) militants. Il n'y a nul alarmisme, juste un terrible réalisme. Que la réalité soit effrayante ne la rend pas moins réelle.

5. *Les écologistes seraient anxiogènes.* C'est peut-être vrai, en effet. Ne pas être angoissé

par ce qui vient relèverait sans doute d'une forme de naïveté aveugle. Mais faut-il pour autant cesser d'alerter sur la catastrophe, qui peut évidemment être amoindrie ? Le message écologiste nuit sans doute un peu au confort intellectuel associé aux postures d'arrogance fière. Mais la nuisance, soyons-en certains, est dérisoire par rapport à celle qui résulterait de l'éviction (nécessairement temporaire) du problème évoqué. Et comprenons bien que l'inaction manifeste devient bien plus inquiétante, en particulier pour les jeunes, que la dénonciation active d'un drame dont on ne peut plus douter.

Il n'est manifestement plus possible aujourd'hui de faire passer les écologistes pour des doux dingues, comme cela fut fait durant des décennies alors même que tout le savoir scientifique était déjà accessible et plaidait pour eux. (Chaque mouvance compte, bien sûr, son lot de fous furieux et de délirants, l'écologie n'y échappe pas et je ne réfère pas ici à cette frange marginale et condamnable.) Les données sont là et ne sont plus contestables :

ils ont raison. Pourtant, le déni demeure. Les forces réactionnaires changent leur fusil d'épaule. Elles pilonnent la sphère publique de calomnies et de dénigrement, sans limites. Aucun contresens radical, aucune exagération grotesque, aucun mensonge éhonté ne seront évités : tout leur est acceptable pour détruire les lanceurs d'alerte. La vérité n'a plus aucune importance. Même la très jeune et sage Greta Thunberg, qui se contente humblement de relayer avec précision le message vital des experts, a été victime d'une campagne d'attaques *ad hominem* d'une fureur hallucinante. Un homme politique a même récemment souhaité le naufrage de son navire, tandis qu'un mannequin la représentant était pendu à un pont et qu'un responsable associatif appelait pratiquement à son assassinat. Le monde agonise et ce qui indigne, c'est qu'une jeune fille dénonce le carnage et tente d'endiguer la catastrophe… Son discours à l'ONU était impeccable : « Les gens souffrent, ils meurent. Des écosystèmes entiers s'effondrent, nous sommes au début d'une extinction de masse, et tout ce dont vous parlez, c'est d'argent, et des contes de fées de croissance économique éternelle ? Comment osez-vous ! »

Des articles de presse se permettant les pires arguments ont été récemment publiés (d'autres, fort heureusement, ont dénoncé cela) : de la comparaison du combat de Greta avec le nazisme (!) à l'idée que le terrorisme des suprémacistes – en pleine recrudescence – serait d'inspiration écologiste, en passant par les délires de suspicions eugénistes, rien ne nous aura été épargné. Ni le plus vulgaire ni le plus hideux. Le lien avec le réel n'a plus aucune importance ici : l'odieux s'érige en règle. Faire porter à l'autre l'inverse *radical* des valeurs qui l'animent. Sans, naturellement, qu'aucune ébauche de justification de ces contre-vérités sidérantes ne soit apportée. La tentative de renverser le rapport d'oppression et de faire passer les militants de la vie pour des fascistes en puissance ne peut que sidérer. Mais, largement relayée, puissamment subventionnée, elle trouve un écho certain. Il n'est pas rare que l'assassin tente de faire porter la culpabilité à sa victime, le procédé est éculé.

Mais il est singulier que l'imposture aille si loin et avec un soutien médiatique non négligeable. La fin du monde (au sens clair que je donne à ces mots) ressemble ici à une sorte d'immense éjaculation nihiliste. Si avenir il y a, l'analyse de nos successeurs sur cette triste période sera intéressante.

Finalement, les détracteurs de Greta se répartissent en deux groupes (qui parfois se recouvrent). Ceux qui sont épidermiquement vexés qu'une gamine leur donne une magistrale leçon, et qu'elle ait raison sur toute la ligne. Et ceux qui, plus profondément, cherchent à sauver leurs privilèges par tous les moyens possibles, y compris les méthodes que nous n'aurions pas osé imaginer. Attaques sur le physique, sur l'âge, sur le sexe, sur la maladie, sur les vêtements, sur la marque des aliments, sur la forme des nattes, sur l'expression du visage, sur l'intonation de la voix... Pour d'autres lanceurs d'alerte, on s'en prend à la longueur des cheveux ou à l'origine des bracelets et de la montre... tout y passe pour éviter de devoir considérer le fond du message. On reproche même à Greta de recevoir de l'aide pour écrire ses discours. Mais quelle importance ? Si ce qui est dit est vrai, ce qui est en l'occurrence le cas, en quoi le fait de puiser l'information chez d'autres est-il problématique ? Aucun chef d'État n'écrit lui-même ses discours. Et, naturellement, on reprocherait à Greta – et ce serait justifié – de ne pas être conseillée par plus compétent qu'elle.

Greta n'est pas une sainte ! Je ne souscris d'ailleurs pas entièrement aux solutions qu'elle a récemment ébauchées et il serait sans doute bon qu'elle passe la main. Mais elle est une jeune fille qui expose les vérités scientifiques avec clarté et s'engage pour la possibilité d'un avenir. Il n'y a, dans le déluge de bassesses à son encontre, qu'une seule bonne nouvelle, qui n'est pas anodine néanmoins : un petit vent de panique s'empare des franges les plus réaction-naires. Ils « vrillent ». Nous avons donc touché juste. Ils ont déjà perdu leur semblant de pouvoir. Mais gardons en tête un élément important et inquiétant : ils seront prêts à tout. Même face à l'évidence du danger immédiat, ils ne lâcheront rien. Plutôt foncer tête baissée dans le mur que de renoncer au moindre privilège.

On le sait donc maintenant : toute tentative pour soutenir la vie sera décriée, déformée, calomniée. Dont acte. On accusera les militants du Nouveau Monde de tous les maux, surtout ceux qui sont les plus infiniment étrangers à leur démarche. Il n'y a plus de sens à dénoncer davantage ces déversements de haine et autres tentatives grotesques de retournement des véritables agressions. Les mécanismes et motivations de ces attaques sont connus (on les retrouve par exemple à l'encontre des réfugiés, des racisés ou des précarisés) et les zélateurs de l'immobilisme suicidaire ne ridiculisent plus qu'eux-mêmes. Nous ne leur rendrons pas la pareille, nous ne jouerons pas ce jeu de dupes, nous refuserons le « combat de coqs ».

Il n'est, par ailleurs, pas rare d'entendre déplorer le possible avènement d'un écologisme triste et culpabilisant alors que la vie devrait être débridée et un peu folle. Cette crainte est compréhensible mais infondée. D'abord, parce que, très concrètement, rien n'indique hélas que la transition soit en cours et il est probable qu'elle ne se produise pas. Il serait plus sérieux d'avoir peur de l'effondrement bien réel du vivant que d'un hypothétique virage écologique manquant de piment ! Ensuite et surtout, parce qu'il est extrêmement réducteur de supposer que l'allégresse de la vie requerrait, par exemple, de rouler en voiture de sport ou de se nourrir immodérément de chair animale. Au mépris de ceux qui en souffrent. La mouvance écologiste n'a rien de castratrice : elle se veut en réalité extrêmement joyeuse, joueuse, enchanteresse, subversive et espiègle. Elle demande seulement de revoir un peu les codes et de les réinscrire dans cette évidence oubliée : contrairement aux apparences immédiates, la légèreté surconsumériste n'était pas heureuse pour tous…

Contester le drame actuel n'a strictement rien d'un scepticisme. Le scepticisme, que l'historien Paul Veyne attribuait par exemple au philosophe Michel Foucault, est une belle posture philosophique et scientifique. C'est une démarche fondée sur un doute humble et constructif. Nier l'évidence scientifique de l'écocide en cours relève, tout au contraire, de la tromperie scélérate. Naturellement, tout peut être discuté. Naturellement, le débat sur les solutions est nécessaire. Mais la négation mensongère a fait son temps. Elle demeure pourtant banale et la visibilité médiatique donnée aux quelques (inévitables) contestataires des conclusions de la communauté scientifique est sans commune mesure avec leur poids réel au sein de celle-ci. Je ne crois pas que les « platistes » (niant la rotondité de la Terre) soient couramment invités sur les plateaux de télévision. Pourquoi donc y convier les climato-menteurs ? Voilà qui entretient une grave confusion. Comme d'ailleurs le zèle avec lequel est systématiquement relevée chaque infime approximation dans les prises de position écologiques, au mépris du cœur du message dont l'importance est pourtant existentielle.

Le cheminement des négateurs depuis les 4 dernières décennies est essentiellement celui-ci :

1. Il n'y a pas de crise majeure.
2. On ne peut hélas plus le nier, il y a bien crise majeure, mais c'est réversible.

3. On ne peut hélas plus le nier, il y a bien crise majeure irréversible, mais ce n'est pas grave pour nous, ici.

4. On ne peut hélas plus le nier, il y a bien crise majeure irréversible grave pour tous, mais un miracle nous sauvera.

5. Nous avions tort dès le premier point. Et nous avons perdu bien trop de temps.

Nous en sommes au stade 4. Espérons qu'il ne dure pas trop longtemps. Mais je crains que de nouveaux subterfuges intellectuels s'inventent encore avant le stade 5.

Du point de vue « matériel » des forces en présence, le combat écologique semble presque nécessairement perdu d'avance. Le contrepoint de puissance immodérée et de hargne froide qui anime l'ogre systémique ne laisse pratiquement aucune ouverture pour la révolution nécessaire. Soyons lucides : l'échec est plus que probable. D'autant que beaucoup de crimes – par essence irréparables – ont déjà été perpétrés : une improbable victoire aurait donc, de toute façon, un goût amer. Mais, du point de vue éthique, esthétique, poétique,

symbolique, la lutte écologique et sociale est
gagnée depuis toujours. Elle a, pourrait-on
dire, choisi le côté de la vie. Le réconfort est
mince, mais il ne vaut pas rien.

Certains trouvent dans la spiritualité ou
la foi le cadre adapté à l'extraction d'un
consumérisme aberrant. (Il n'est pas alors
question – ce qui serait un non-sens –
d'adapter le sacré au circonstanciel ou au
temporel, mais bel et bien de redécouvrir
le sens déjà présent.) D'autres usent de
l'ultrarationalisme revendiqué (ce qui n'a, en
soi, pas grand sens puisque les modalités de la
raison sont en réalité multiples), par exemple
dans des approches de type « zététique »,
pour déconstruire les sophismes et ruses
systémiques qui nient la nécessité vitale d'un
revirement. Ces nouvelles alliances, souvent
imprévues et parfois incongrues, constituent
l'une des belles surprises qui jalonnent
cette crise. Dans le sombre tableau de notre
monde agonisant, l'émergence de connivences
subreptices est une épiphanie de réjouissance.

De nombreux freins psychologiques ont
également été mis en évidence. Par exemple :

le coût d'un changement d'habitude nous apparaît toujours comme plus important que les bénéfices qui en résulteraient, même quand ces derniers surpassent le premier. La capacité humaine à ignorer – consciemment ou inconsciemment – ce qui dérange est sans limites. Et le cas de la catastrophe écologique est particulièrement complexe parce qu'il ne s'agit pas d'un adversaire *extérieur*. Il est évidemment plus simple de mobiliser pour combattre un « terroriste étranger » faisant irruption sur « notre » territoire. La limite me semble être néanmoins davantage conceptuelle que psychique. Si nous forgions le concept d'« autoterrorisme indirect », si nous le défendions, si nous le martelions, si nous l'enseignions, je crois que la grille d'analyse changerait et notre responsabilité pourrait être assumée. Par ailleurs, nous avons besoin d'expérience pour anticiper. Or, la chute de notre monde n'aura lieu qu'une fois : nous ne pouvons pas utiliser le passé pour construire une image de l'avenir et cela brouille radicalement nos repères. Dans mon domaine scientifique, en cosmologie, nous avons appris à dépasser cette difficulté. Nous avons appris à adapter nos méthodes pour penser, étudier, calculer un big bang qui n'a pourtant eu lieu qu'une fois, défiant par là même les méthodes usuelles de l'induction scientifique. Il serait temps de nous inspirer de ces postures, à la fois démesurément ambitieuses et immensément humbles, pour faire face à la crise du vivant.

Les derniers rapports des groupes d'experts mettent sous les feux de la rampe des conclusions bien connues des informés, mais encore trop peu divulguées. L'alimentation à base de viande, en particulier, est enfin pointée du doigt ! Outre sa dimension tragique pour les animaux et son effet globalement négatif sur la santé humaine, ses conséquences dévastatrices sur l'état écologique du monde sont fort à propos mises sur la place publique. Il n'est plus raisonnable d'y voir une simple question de choix individuel : ce que nous mangeons impacte l'ensemble de la planète. Qu'on le veuille ou non. Il faut évidemment maximiser la liberté des individus, tenir compte des habitudes culturelles et ne faire en aucun cas porter la responsabilité (morale ou financière) aux éleveurs qui sont les héritiers d'un passé qu'ils ne contrôlent pas. Mais, avec intelligence et parcimonie, comment ne pas choisir une évolution massive, dans les pays occidentaux, vers une alimentation végétarienne ou végane ? Plus des trois quarts des terres agricoles dans le monde servent à élever du bétail, ce qui est extraordinairement inefficace, en plus d'être dramatiquement destructeur pour les écosystèmes (et très souvent économiquement injuste pour les producteurs).

Par-delà l'aspect purement « rationnel-scientifique » de la nécessité d'une rupture alimentaire pour le bien commun, telle que pointée donc par le GIEC, il est temps de prendre toute la mesure de la monstruosité à laquelle nous sommes parvenus. Aujourd'hui, en termes de biomasse, les mammifères « libres » ne représentent que 7 % des mammifères d'élevage, essentiellement destinés aux abattoirs. Plus des trois quarts des oiseaux sont des volailles d'élevage. Il ne faudrait plus montrer aux enfants, dans les livres éducatifs, les écureuils et les musaraignes : notre planète n'est plus significativement habitée par ces êtres-là. Ils sont anecdotiques. Aujourd'hui, le monde non humain est une gigantesque ferme-usine, une autoroute vers la mort. Les manuels scolaires ressembleraient à des livres d'horreur si nous disions la vérité. L'assumons-nous ?

Une vague d'indignation a suivi les annonces du GIEC. Pour dénoncer la bêtise du système que nous avons entériné ? Pour inciter à ne plus supporter l'horreur des abattoirs qui se révèle enfin au grand jour ? Pour hurler contre le drame des océans littéralement vidés de leurs habitants par des techniques de pêche par satellite qui ne laissent plus aucune chance aux poissons ? Pas du tout ! C'est pour reprocher aux écologistes – et en l'occurrence plutôt aux scientifiques du GIEC – de vouloir changer nos habitudes, aussi brutales soient-elles. Il y a néanmoins du vrai dans certaines remarques publiées à cette occasion : le changement préconisé serait effectivement profond et bouleversant. Nous commençons peut-être à comprendre que notre société est si profondément fondée sur l'exploitation des autres vivants qu'infléchir cette barbarie généralisée demanderait de repenser drastiquement certains fondamentaux civilisationnels. Comme cela fut nécessaire quand l'esclavage fut aboli. Comme cela fut nécessaire quand les femmes devinrent des acteurs politiques à part entière. Pour le meilleur, évidemment.

Posons-nous une question naïve : que restera-t-il du passage des humains sur Terre, à des échelles de temps géologiques ? Autrement dit : un lézard-géologue, dans 100 millions d'années, pourrait-il savoir que nous avons existé ? Naturellement toutes nos constructions, des châteaux aux barrages, des livres aux centrales nucléaires, auront disparu. Il ne sera pas même possible de mesurer le pic de CO_2 dans les carottages puisque les glaces auront fondu. Pourtant, quelque chose demeurera. Un signe unique marquant de notre passage : les fossiles révéleront un effondrement drastique de la vie, presque instantané, sans aucune cause géologique ou météoritique identifiable. Voilà comment la grande histoire de la Terre se souviendra de nous : comme l'espèce qui a affaissé le vivant, dans des proportions qui n'avaient, en 4 milliards d'années d'existence de la vie, été possibles que suite à un cataclysme extérieur.

Pourquoi est-il si difficile d'évaluer précisément la décroissance des populations d'insectes ? Pourquoi est-il si complexe de connaître l'évolution du comportement des hérissons suite à la disparition de leur espace de vie ? Pourquoi est-il si dur de connaître le nombre d'espèces vivantes peuplant la Terre et ce qui les différencie vraiment ? Parce que presque personne ne travaille sur ces questions ! Ce ne sont pas des sujets d'études dignes de notre intérêt. Au CNRS, par exemple, sont étudiées en profondeur la biologie moléculaire et structurale, la biologie cellulaire, la biologie des systèmes, la génomique, la biologie intégrative, l'immunologie, la biodiversité, la pharmacologie... Tout cela (et la liste est loin d'être exhaustive) est passionnant et doit évidemment être poursuivi. Mais la question se pose : pourquoi si peu d'efforts consentis à la compréhension des vivants en tant que tels ? L'étude désintéressée des habitudes animales, de l'éthologie, des modes d'interaction et d'échange, des collaborations subtiles mises en place dans un groupe et parfois avec d'autres espèces est délaissée. Nous ne connaissons pas pour l'essentiel les autres vivants avec lesquels nous partageons cette planète. Avec lesquels nous partagions cette planète, puisque beaucoup disparaîtront avant même que nous ayons pu les comprendre. Presque tout reste à découvrir et, soyons-en sûrs, les surprises et les émerveillements ne manqueraient pas. Nous vivons dans un monde sublime et presque entièrement inconnu. Il serait beau qu'il commence à nous intéresser un peu…

Les États-Unis prétendent vouloir retourner sur la Lune, tandis qu'une entreprise américaine s'enorgueillit d'avoir placé une automobile en orbite autour du Soleil. Sont-ce vraiment là des gestes pertinents, alors même que nous avons tout à découvrir du monde essentiellement incompris et extraordinairement riche que nous détruisons ici ? Le sens des symboles me semble s'être retourné. Les missions Apollo ne manquaient pas de grandeur. Il y avait du courage et un vrai parfum d'aventure. Aujourd'hui, les héros me semblent être bien davantage les Indiens qui se battent avec panache et obstination contre la déforestation orchestrée – ou peut-être même les éléphants d'Afrique en lutte désespérée contre les braconniers –, les opprimés ou précarisés qui s'organisent en systèmes de résistance inventifs, que des astronautes ultraformatés devenant, sans doute à leur insu, les icônes d'un système d'arrogance généralisée. La planète à explorer, maintenant, c'est la nôtre. Découvrons-la enfin dans ce qui la singularise – la profusion magique du vivant – avant de l'avoir définitivement dévastée.

Récemment, le pouvoir politique a annoncé s'être converti à l'écologie. Comment ne pas s'en féliciter ? Mais comment, dans le même temps, y croire réellement ? Nos dirigeants ont accès aux informations les plus fines et les plus fiables. Ils savent donc depuis 40 ans ce qui émerge aujourd'hui dans la sphère publique et médiatique. Or, ils ne se sont pas contentés, pendant ces 4 décennies, de ne « rien faire », ils ont encouragé la catastrophe. On aurait rêvé qu'ils décident finalement d'informer la population et de prendre les mesures nécessaires. Mais il n'en est rien : ils suivent les tendances de Twitter ou de Facebook et brossent « dans le sens du poil » les indignations émergentes pour glaner quelques points de popularité. On se souvient d'un ancien président de la République annonçant, la voix vibrante d'émotion, son engagement environnemental volontaire et proactif avant de conclure quelques années plus tard par un « l'écologie, ça commence à bien faire ». Alors que, précisément, rien n'avait été fait. Mais rien, c'est déjà trop. Depuis lors, il s'est d'ailleurs amusé à moquer et railler Greta Thunberg devant les participants de l'université d'été du Medef, hilares... Quelle classe, quel courage !

Considérons un seul exemple, dans l'actualité. L'avion pollue, en moyenne, 45 fois plus que le train à grande vitesse sur les trajets où l'on peut les comparer. Des études ont montré que son impact réel était bien pire encore si tous les facteurs étaient pris en compte. Pourtant, les propositions de lutte drastique contre ce fléau (lutte qui devrait être, évidemment, accompagnée d'une aide à la reconversion des professions concernées qui n'ont pas à faire les frais des erreurs du passé) ont été presque instantanément balayées. Et les discours péremptoires ont fleuri : « prendre l'avion est un droit », « l'aviation est un domaine d'excellence de l'Europe et doit donc être soutenue », « le déplacement aérien est nécessaire au business ». Nous sommes incapables de hiérarchiser les enjeux. Nous ne parvenons pas à mettre en perspective un petit gain de productivité associé à un déplacement rapide, une victoire économique remportée par la vente d'aéronefs, voire un élément de confort ou de prestige dû à un voyage écourté, avec les effets dévastateurs que peuvent avoir les 200 000 avions en vol – en une seule journée ! – enregistrés récemment et battant un nouveau record de trafic... Airbus vient de revoir à la hausse ses prévisions de vente : 39 210 appareils neufs d'ici 2038 ! L'industrie aérienne a argumenté que c'était à celle du transport maritime de faire des efforts, qui a elle-même rétorqué que c'était à celle de la route. Et cette dernière n'a même pas eu besoin d'argumenter tant son

« intouchabilité » lui est acquise. Nous nous comportons comme de vilains garnements qui se renvoient la faute.

À l'image des Américains qui, résonnant sur le nombre absolu, estiment que c'est aux Chinois de gérer le problème écologique. Tandis que ceux-ci, pensant émissions par habitant, considèrent que c'est évidemment aux États-Uniens de produire les efforts. Nous pourrons toujours trouver une matrice de lecture qui nous dédouane. Pendant ce temps, la vie s'éteint.

Et, pour en revenir un instant à l'aviation, n'espérons pas, surtout pas, améliorer les choses avec l'invention d'un aéronef à faibles émissions de CO_2. Le problème essentiel du tourisme n'est pas l'émission de gaz à effet de serre par les avions. C'est le tourisme en tant que tel. C'est le fait que nous envahissons immodérément l'espace sans ménager de lieux vierges. Là encore, un record vient d'être battu : 1,4 milliard de personnes se sont rendues dans un autre pays en 2018, un chiffre qui représente une croissance de 6 % sur une seule année. Il est absolument évident que le fait de prendre d'épanouissantes vacances est un progrès social qu'il ne saurait être question de remettre en cause, bien au contraire. Mais faut-il nécessairement que celles-ci détruisent ce qu'elles prétendent rendre visible pour être réjouissantes ?

Aux élections européennes, les écologistes ont fait un score plutôt bon. Réjouissons-nous-en, là aussi. Mais cette écologie est-elle celle dont nous avons besoin ? Et, plus profondément, en contrepoint, l'extrême droite perce loin devant. Y a-t-il ici de quoi se sentir rassuré ?

Il était sans doute naïf de ma part de croire que le pouvoir politique puisse prendre le problème à bras-le-corps et le résoudre. Il était sans doute naïf de croire que la majorité des économistes, formés dans les mêmes écoles et fréquentant les mêmes cercles, puisse remettre en cause le dogme, pourtant ô combien antiscientifique, de la croissance éternelle. Il était sans doute naïf de penser que nous serions prêts à outrepasser les exigences du striatum – petite structure nerveuse subcorticale – qui incite le cerveau à fuir toutes les formes de tempérance pour chercher les récompenses immédiates. Il était sans doute naïf de croire que la révélation du niveau hallucinant, et presque suicidaire, des violences envers la vie suffirait à infléchir les comportements.

Comment donc se positionner, maintenant, face à la violence ? Nelson Mandela aimait passionnément la non-violence. Il l'a prouvé avec la mise en place de l'incroyable politique de réconciliation menée dans son pays pour défier toutes les formes possibles de vengeance et de haine. Il est allé sans doute plus loin que quiconque dans ce désir de paix inconditionnelle. Pourtant, il déclarait aussi : « La résistance passive non violente est efficace tant que notre adversaire adhère aux mêmes règles que nous. Mais si la manifestation pacifique ne rencontre que la violence, son efficacité prend fin. Pour moi, la non-violence n'était pas un principe moral, mais une stratégie. Il n'y a aucune bonté morale à utiliser une arme inefficace. » Prix Nobel de la paix et figure iconique de la lutte contre les oppressions, « Madiba » était clair.

Ne laissons aucune ambiguïté planer – puisque tout sera déformé et réutilisé à charge – : la violence, étymologiquement donc le recours illégitime à la force, doit être évitée et condamnée. Cela ne fait aucun doute. La violence est fondamentalement antinomique avec tout écologisme digne de ce nom et peu de mouvances se sont montrées aussi radicalement non violentes, dans les faits comme dans les dogmes. Mais il ne fait aucun doute non plus qu'une bienveillante violence, qui n'en est donc plus tout à fait une puisqu'elle devient alors légitime, est souhaitable si elle permet d'endiguer le déchaînement d'une malveillante violence infiniment plus destructrice. Sans quoi nous ne nous serions pas battus – ce qui est par définition violent – contre les pires crapules de l'histoire. Sans quoi nous n'arrêterions pas – par la force s'il le faut – un assassin sur le point de commettre son crime. La question des modes d'action face à un monstre systémique dont le niveau de violence extrême nous place (suivant, je le rappelle, les mots de l'ONU) dans une posture de « menace existentielle directe » ne peut pas ne pas se poser. C'est une question de bon sens. C'est une question de décence. Elle doit être abordée avec nuance et honnêteté. Imaginer, ne serait-ce qu'un instant, que l'évocation de la crise de la vie soit le « prétexte » à l'exercice d'une volonté de violence écologique – comme certains ont osé l'écrire – relève, là encore, d'une dynamique de renversement du réel et de duperie éhontée dont il est difficile de trouver des exemples plus caricaturaux et sournois.

D'autant que les motifs de révolte contre les violences ne manquent pas en ce moment. Des réfugiés que nous continuons de laisser mourir sous nos yeux, jusqu'aux répressions en tous genres – justifiées par le simple rapport de force qui les rend possibles –, en passant par l'abandon de plus en plus assumé des précaires... Il y a matière à dénoncer la violence !

Je pense, à titre personnel, que la stratégie non violente – aussi mal défini ce terme soit-il en réalité – est souhaitable pour des raisons autant éthiques que praxiques. Mais le système actuel étant ultraviolent pour la vie, la non-violence réclame donc vraisemblablement sa révocation.

Un monde où la défense de la vie passe pour une attitude « extrémiste » est problématique à plus d'un titre et devrait nous inciter à réfléchir profondément.

On peut aussi tous crier « Vive la liberté ». Et c'est vrai : les libertés de contester, de revendiquer, d'explorer, de sauver, de migrer, de changer… sont aujourd'hui menacées. Il me semble effectivement impératif de les réhabiliter. Mais, en contrepoint, la liberté de polluer dans l'insouciance, de détruire les espèces rares, d'opprimer les minorités, de moquer les marginaux, de sous-payer les femmes, de ne pas vacciner nos enfants ou de porter à leur paroxysme nos comportements indolemment destructeurs doit-elle être défendue ? Nous n'avons aucun autre choix que d'être subtil. On ne peut pas se contenter du « pour ou contre » la liberté. La pire injustice et atrophie intellectuelle aujourd'hui, la démission stricte de la pensée, c'est de poser – quel qu'il soit – un prisme unique sur le monde.

En ce qui me concerne, le plaiderais pour un activisme fractal. La fractalité, en science, se définit par la persistance du motif à toutes les échelles. Je crois qu'il est en effet maintenant urgent de ne pas choisir et de ne plus se limiter à une modalité identifiée.

Aujourd'hui, beaucoup d'alternatives binaires semblent se présenter pour faire face au désastre environnemental. Il y aurait les scientistes contre les intuitifs, les associatifs contre les individualistes, les rationalistes contre les rêveurs, les politiques contre les révoltés, les philosophes contre les pragmatiques, les réformistes contre les révolutionnaires, etc. On ne peut plus se permettre de choisir. Le problème apparaît à tous les niveaux et les zones de résistance doivent se déployer à tous les niveaux. L'étiologie de la crise est fractale et il est essentiel de sortir d'une vision dogmatique qui voudrait qu'il y ait une cause unique et donc une solution unique. Que le capitalisme débridé joue un rôle majeur est évident. Que la démographie galopante n'aide pas l'est tout autant. Mais les facteurs sont si nombreux et enchevêtrés qu'une démarche multi-échelles est la seule aujourd'hui encore viable. Il est vital de ne pas rabattre ce combat sur nos prismes doctrinaux.

Attaquer le problème par son socle est impossible. D'abord, parce que nul n'a identifié ce socle de façon non équivoque. Ensuite, car – quel qu'il soit – il est trop lourd, trop dur, trop puissant, trop massif pour nous. Je crois qu'il faut plutôt l'effriter. La résistance, ici, peut être entièrement disséminée et déterritorialisée. Ce ne serait pas une stratégie du « colibri » (que je ne raille pas, cette initiative est bienvenue), mais plutôt une contre-logique de l'oxydation : la carcasse métallique du monstre prédateur ne peut pas être insensible à la rouille. L'oxygène et l'eau peuvent à la fois servir la vie et corroder les prisons. Ce qui signifie, au-delà de la métaphore : agir partout, même dans l'infime, pour faire vaciller chaque évidence, chaque impensée, d'un système de destruction massive. Et remettre sans cesse en cause les catégories mêmes du langage : il ne permet pas de dessiner aisément la morphologie d'un ailleurs dans l'ici.

Une autre démarche est parfois envisagée : je la nommerais la logique tumorale. Proposer un « cancer contre la mort », c'est-à-dire favoriser l'excès de consommation qui finira par effondrer le corps consommant par prolifération interne. Tuer en empêchant les cellules folles de mourir. Emballer sciemment le rouage mortifère des excès pour le faire dérailler plus vite. Je ne souscris pas à cette thérapie suicidaire. Elle est une démission dès l'ouverture. Un renoncement par le pire.

L'activisme fractal ne signifie pas que chacun doive instantanément se battre sur tous les fronts. C'est impossible. Et ce n'est sans doute pas souhaitable : il faut conserver un peu de folie, s'autoriser un peu d'incohérence, s'obliger à un peu d'errance, adapter les engagements aux compétences et les actions aux appétences. Il s'agit plutôt d'ouvrir une structure gigogne de possibles. Il s'agit de rappeler que la question de la vie se déploie partout.

L'écologie a jusqu'alors échoué car elle fut pensée comme une « coloration ». Un petit surajouté (ou un infime retiré) qui se fixait à l'existant sans en défier la pertinence, sans en interroger l'insuffisance. L'enjeu consiste maintenant à tenter de penser *à partir* du sens pour la vie. Ce serait l'exact inverse d'un appauvrissement.

Fractaliser la pensée, c'est lui permettre de frôler des modes du réel qui demeuraient littéralement hors de son possible. Trop immenses ou trop étroits. Nos esprits sont tellement formatés par des enseignements stéréotypés, des coutumes héritées, des martèlements réitérés que la moindre tentative exploratoire sonne comme une impossible révolution. Naturellement, toute rupture n'est pas nécessairement souhaitable. Il y a un risque. Mais une chose est sûre : ne pas faire le pari de l'exploration serait certainement aujourd'hui la plus dangereuse des postures.

D'innombrables articles, conférences, tribunes fleurissent de toutes parts pour nous inciter à ne surtout rien changer en profondeur. L'écologie y est scandaleusement adossée aux concepts qui lui sont le plus radicalement opposés : paternalisme, autoritarisme, passéisme, pessimisme... Les contre-vérités les plus grossières y sont proférées, projetant sur les écologistes des idées qui ne sont en *rien* les leurs : de façon récurrente, y est par exemple insinué que les défenseurs de la cause du vivant supposeraient un passé idyllique durant lequel l'harmonie régnait. C'est très exactement faux. Bien au contraire, la connaissance d'une longue histoire de la brutalité gratuite innerve la pensée écologique. Il va devenir urgent de ne plus répondre à ces discours d'immobilisme qui tentent de se faire passer pour transgressifs alors qu'ils n'ont aucun autre enjeu que d'entériner la doxa, que de maintenir l'ordre établi. En figeant la grille de lecture sur un schéma sclérosé, ils interdisent la pensée. Il ne faut plus demeurer prisonniers de leurs diktats. Il me semble urgent, non seulement d'ignorer les arguments les plus fallacieux – ils discréditent déjà leurs auteurs au-delà du nécessaire –, mais également de n'avoir plus peur de proposer et d'explorer loin de la matrice principielle dominante dont la violence cardinale consiste à n'être pas même questionnée.

Le fameux « politiquement correct », moqué par tous, est structurellement du côté du système dominant. Tenter de le déporter du côté d'une pensée écologique, qui demeure évidemment marginale, inévidente, malmenée et incomprise, est un peu gros ! Quand les forces économiques les plus puissantes tentent de faire passer la défense acharnée de leurs intérêts pour un geste de subversion ou d'insolence, on confine au comique. Oui, soyons incorrects, mais soyons-le vraiment : c'est-à-dire en redéfinissant la correction elle-même.

Un des points majeurs qui, je crois, doit être mis en lumière, compte tenu des plus récentes évolutions, est celui de la distinction à opérer entre pérennité et légitimité. Beaucoup de supposées solutions, présentées ici et là, souvent indexées à la religion de la techno-croissance, n'ont en réalité vocation qu'à pérenniser un peu l'état actuel du monde. Autrement dit : dans le meilleur – et assez improbable – des cas, elles permet-traient (aux plus riches) de continuer à jouir indolemment encore un peu. Mais c'est évidemment une grave erreur axiologique. Qu'un système puisse perdurer ne signifie d'aucune manière qu'il soit désirable et justifié. À l'échelle de l'histoire humaine, les dictatures s'en sont plutôt mieux sorties que les régimes démocratiques et cela ne les rend évidemment pas souhaitables.

Or, en ce moment, le monde est infernal pour beaucoup de vivants, humains et non humains. Des 790 millions de porcs abattus chaque année aux 821 millions d'humains souffrant de la faim (en hausse depuis plusieurs années selon l'ONU et l'OMS), la situation n'est pas glorieuse. La question ne consiste donc pas à tenter de sauver l'état actuel du réel. Il n'y a aucun intérêt à s'assurer que les « ressources » demeureront encore un peu disponibles tant qu'elles sont ainsi utilisées. L'enjeu, c'est, au contraire, de *cesser* de considérer la vie comme un bien à disposition et d'inventer de nouvelles modalités de partage, de nouvelles connivences non encore envisagées.

Une seconde question essentielle apparue récemment est liée à la confusion entre ce qui peut être fait et ce qui doit être fait. Peut-être, et j'en doute, des minidrones pourraient-ils remplacer les abeilles pour polliniser les fleurs. Peut-être les forêts pourraient-elles être rasées afin que de gigantesques absorbeurs de CO_2 puissent y être installés. Peut-être pourrait-on vivre dans un monde de béton et d'acier, dépeuplé d'oiseaux, de mousses et de champignons, sans que notre espérance de vie diminue. Je n'y crois guère, mais ce n'est pas absolument impensable. La véritable interrogation est moins de savoir si ce monde est possible que de décider si c'est dans ce monde que nous aimerions imaginer nos descendants.

Un troisième élément clé a trait à la déconstruction des vieilles évidences. Disons à l'implicite. Nombre d'analyses économiques ont été récemment rendues publiques. Presque toutes cherchent à relancer la croissance. C'est un point de vue qu'il est normal de pouvoir exprimer. Il n'en demeure pas moins que la croissance (qu'il faudrait renommer « prédation suicidaire ») des pays riches peut être légitimement considérée aujourd'hui comme une des premières causes d'effondrement de la vie sur Terre. Il semble donc curieux de ne pas même se sentir en demeure de justifier un point de vue qui appelle à précipiter la chute ! Les apôtres de la croissance à tout va peuvent évidemment continuer à défendre cette idée. Ils en ont le droit et il n'est pas question de les museler. Mais ils ne peuvent plus faire comme si elle était évidente alors que les analyses rationnelles plaident pour une vision inverse. Les discussions enflammées autour de « la dette » reprennent de plus belle. Mais cette dette est *absolument* virtuelle. Elle est conventionnelle, contractuelle. Elle n'a d'existence que parce que nous le décidons. Tout au contraire, la dette écologique est réelle, factuelle, matérielle : elle ne peut être annulée par décision. Elle tue au quotidien. Elle est la dette sérieuse. Comment est-il possible qu'elle nous obsède infiniment moins que sa consœur économique purement factice ? Cette dernière tue également, c'est hélas incontestable. Mais cet « asservissement par la dette » relève finalement d'une volonté politique délibérée.

Le quatrième point crucial consiste à accepter qu'il n'y a pas de solution « magique » avec la jeunesse. Un sondage publié dans le *National Geographic Magazine* montrait que la tranche d'âges la plus touchée par la négation climatique (et ses dérivés) est celle des 18-24 ans. Une autre étude publiée par *Le Monde* montre que les entreprises les plus plébiscitées par les jeunes diplômés sont : LVMH, Airbus, Google, L'Oréal, Thales, Apple et Total. Il serait trop facile et manifestement faux de supposer qu'il suffit d'attendre un peu, au prétexte que les jeunes prendront en main avec passion les problèmes que leurs parents et grands-parents ont été incapables d'affronter. Tel n'est pas le cas. Pas sans un travail collectif et profond qui, pour l'essentiel, reste à mener.

Il semble d'ailleurs important, contrairement sans doute à ce que j'avais parfois imaginé, de ne pas dépolitiser le combat écologique. Le problème est systémique, la solution doit être systémique. Mais il ne peut pas s'agir seulement d'appeler « à l'aide » le pouvoir politique central. C'est structurellement inopérant : c'est presque une contradiction dans les termes. Il doit être question d'une refonte politique radicale qui redéfinisse le sens même du commun et du devenir.

Il va maintenant falloir oser faire face au réel. Il va falloir oser ne plus se laisser intimider par les gardiens du temple vide que constitue notre système à l'agonie. Il va falloir comprendre très vite que nos vieilles matrices d'analyse ne sont plus adaptées. On peut tous crier la main sur le cœur : « Vive la liberté, vive la non-violence, vive le respect ! » Mais quand la liberté conduit à des comportements ultraviolents qui obèrent l'avenir et nient le respect le plus élémentaire, comment concilie-t-on ces valeurs ? Nous sommes devenus notre propre menace. Le plus grand danger pour l'humanité est aujourd'hui l'humanité. Et nos catégories intellectuelles ne sont pas prêtes pour penser cette nouveauté si énorme qu'elle ébranle jusqu'à la structure intime de notre langage. Nous aurions évidemment déjà dû faire face à cette problématique en intégrant les dommages ahurissants causés par le colonialisme et le néocolonialisme, y compris dans l'histoire récente et contemporaine. L'incapacité structurelle de l'occident à sa propre remise en cause, même face au désastre patent, laisse perplexe.

Essayons tous azimuts. Chaque vie sauvée est une victoire sur la fin du monde. L'immensité du péril, incontestable, n'atrophie rien du sens des luttes locales, même infimes ou secrètes. Le jeu – démesuré dans son exigence – consiste précisément à ne pas se laisser déborder par l'ampleur du défi. Il n'y a pas de « convergence des luttes » qui soit strictement nécessaire. La préoccupation écologique n'impose pas de façon déterministe de se positionner de telle ou telle manière sur une question sociétale liée à l'art contemporain, au revenu universel ou au droit à porter le hijab. Il est impossible d'exiger de ses alliés une identité rigoureuse des sensibilités et des postures. Sans une certaine souplesse, aucune alliance n'est viable et aucune action n'est possible. C'est d'ailleurs l'un des malheurs génériques des sensibilités dites progressistes (terme hautement inapproprié) que de se surfocaliser sur les infimes divergences, au risque d'oublier le commun et de perdre les combats vitaux qui sont à mener.

Pourtant, force est aussi de reconnaître que tout ce qui aujourd'hui pousse à renouveler ou interroger nos grilles de lecture est bienvenu et participe à la même dynamique exploratoire. Le plus grand frein à la révolution nécessaire, outre les éventuelles déterminations génétiques qui structurent sans doute quelques fondamentaux de nos désirs, se trouve dans notre incapacité endémique à comprendre que nos constructions ne sont pas axiologiquement justifiées par leur seule existence. Le monde pourrait être autre. Ce que nous avons édifié pourrait ne pas être, ou être différent, sans que l'ordre cosmique en soit bafoué !

Il faut ici être subtil. Oui, la vérité du changement climatique est réelle et ne dépend pas de nos codes langagiers ou littéraires. Elle n'est pas une simple convention et il faut le rappeler aux imposteurs. Mais, en parallèle, il est essentiel et même vital de travailler à la déconstruction d'un certain nombre de dogmes associés au déploiement d'une vérité hégémonique et totalisatrice. Les critères de vérité dépendent des lieux et des temps. Il faut oser les travailler. Il faut oser remettre en cause les régulateurs si profondément ancrés dans nos habitudes et nos repères qu'ils ont, pour nous, pris le visage du réel en lui-même. Ils ne sont pourtant que des masques que l'on peut ôter ou grimer.

Apprendre à comprendre l'altérité, en acte et en puissance. Non pas au nom de la tolérance, mais au nom de l'amour. Comment pourrions-nous échafauder de nouvelles connivences avec les autres vivants quand chaque infime différence culturelle, au sein même de notre espèce, nous semble si infiniment inacceptable ? Plus que d'empathie, c'est d'excorporisation qu'il est question : se faire autre de dedans.

Et ne laissons plus l'Ancien Monde nous dicter l'autorisé. Tout reproche culpabilisant, par exemple, est aujourd'hui proscrit. Il ne faudrait en aucun cas « donner des leçons ». Autrement dit : laissons-les faire et laissons-les faire la conscience tranquille ! Mais notre culpabilité est réelle et nous avons besoin de leçons, pourquoi est-il médiatiquement interdit de le souligner ? Nous sommes les auteurs d'un méta-crime, qu'il nous plaise ou non de l'entendre. La violence ne réside pas dans son énonciation ou sa dénonciation. De même, combattre le racisme en le désignant est presque aujourd'hui impossible : le simple fait de le nommer impliquerait, disent-ils, de le reconnaître et donc... de le cautionner. C'est insensé ! La différence de traitement entre des oppressions pourtant réelles devrait interroger.

Cette mainmise sur ce qui peut être dit ou exprimé est devenue insupportable. Les « malhonnêtes », puisque c'est ce dont il s'agit, nous placent dans un régime de terreur intellectuelle. Absolument *tout* auteur, philosophe, essayiste, poète suffisamment prolixe a écrit ou prononcé des phrases qu'on pourrait juger scandaleuses ou répugnantes hors de leur contexte, hors de l'ensemble du propos où elles apparaissent. Nous sommes donc *tous* dans cette situation d'instabilité permanente : le premier malveillant venu peut extraire 240 caractères d'un texte, dénaturer absolument un propos en l'isolant et, par le Tweet qui lui apportera la gloire, détruire une pensée par ailleurs subtile, nuancée et exigeante. L'auteur, victime de cette attaque, éventuellement fin et rigoureux, ne sera plus médiatiquement connu que comme celui ou celle qui a énoncé la fameuse phrase inavouable. La cohorte des malveillants exhumera alors les livres et les articles et elle trouvera – preuve maintenant irréfutable de l'infamie ! – d'autres mots qui (presque toujours compris à contresens) choqueront plus encore. Tétanisés par ce superpouvoir que nous avons conféré aux menteurs et calomniateurs, de nombreux intellectuels décident aujourd'hui de se taire. Ou de ne plus écrire que des platitudes. Ils édulcorent la pensée au point de la rendre exsangue, pour se ménager la chance de ne pas rejoindre le lot des ostracisables. Cela n'a aucun sens. Les penseurs deviennent « appropriés », au double sens du terme, à un système morbide. Nous avons justement besoin d'audace, de déconstruction et de questionnements profonds. Nous avons besoin d'insolence. Nous avons besoin de bandits de la langue. Ne nous laissons plus voler cette liberté. Les invectives reçues sur Twitter sont en réalité des médailles. Les procès bouffons en imposture ou dictature sont le chemin de croix des pensées qui défient. Peu importe. Il faut en rire et tenir.

Nous avons besoin de nuance *et* de radicalité. Le *fact-checking* est bienvenu pour dénoncer les erreurs grossières. Soit. Mais il est à manier avec précaution. Certains prétendus hyper-rationalistes (souvent très irrationnels, en réalité, parce qu'ils simplifient les problèmes au point de les vider de leur substance) l'affirment : bien utilisé, le glyphosate n'est pas cancérigène pour les humains. C'est peut-être vrai. Mais ce n'est pas du tout la question ! Ce que nous reprochons au glyphosate, c'est avant tout son effet délétère sur la biodiversité. On peut *fact-checker*, mais encore faut-il poser la bonne question. Quand les vérificateurs attitrés ont « prouvé » que le militantisme de Greta était insensé, parce que le bilan carbone de son voyage aux États-Unis en bateau était, tout compris, supérieur à celui d'un voyage en avion, ils ont totalement omis un aspect central : la dimension symbolique. Parce que ce geste exemplaire a peut-être (et c'est impossible à évaluer) évité des milliers ou des millions de voyages futurs en avion, avec des conséquences immenses. N'utilisons pas cette autre « arme de discrédition massive » trop facilement : à lire de façon partisane, on peut tout démolir ou tout soutenir par un *fact-checking* qui ne prendra en compte qu'une partie du problème. Tout texte scientifique ou philosophique essentiel peut être tourné en ridicule par une mauvaise lecture superficiellement rationaliste. Soyons fins.

Face à ces puissances d'immobilisme, ne bradons pas notre liberté de subvertir. Ne cédons pas sur notre désir d'explorer. Le geste écologique et social le plus essentiel et le plus puissant ne consiste pas à recycler ses emballages en carton : il consiste à interroger sans relâche tous les régimes de pouvoir.

Revenons aux faits. Un médecin alarmait récemment : « L'impact sanitaire du changement climatique menace d'annuler les progrès du XXᵉ siècle ». Ceci à cause des effets directs de la température, mais aussi des effets indirects associés à la recrudescence de maladies tropicales ou disparues.

Si l'on résume les trois derniers rapports du GIEC, les idées sont essentiellement les suivantes : 1) le réchauffement sera drastique et le +1,5 degré n'est pratiquement plus tenable ; 2) la biodiversité est en effondrement brutal ; 3) la dégradation des sols menace l'équilibre alimentaire global. Un nouveau rapport récent met l'accent sur les océans et les zones glacières. La trajectoire thermique actuelle mènerait à une élévation du niveau des mers de près d'un mètre. Cela induira mécaniquement la migration de plusieurs centaines de millions de personnes. Les inondations dues aux cyclones augmenteront notablement. Le dégel du permafrost (la quasi-totalité d'ici la fin du siècle) constituera une véritable bombe climatique qui se surajoutera aux effets par ailleurs en cours.

Changer de paradigme n'est plus aujourd'hui une simple option. C'est la condition d'un salut. La révolution ne serait triste ou pauvre qu'évaluée suivant le prisme usé d'un monde déliquescent. Fondamentalement, l'effort à consentir porte moins sur la nouvelle manière de vivre le monde, de le faire fonctionner et de le recréer, que sur le fait d'oser envisager cette nouveauté sans l'enfermer dans le carcan des valeurs héritées.

La question de la désobéissance civile se pose maintenant de façon récurrente. À raison. Ce n'est pas un acte anodin ou léger. Le grand philosophe Jürgen Habermas expliquait en détail qu'un tel choix n'est jamais fondé sur des seules croyances ou intérêts particuliers mais qu'il est structurellement *public*. Il implique une violation intentionnelle et

annoncée du droit, mais n'affecte pas l'obéis-
sance globale au cadre juridique. L'infraction
aux règles, avec des conséquences assumées,
a valeur symbolique et s'inscrit dans une
démarche cette fois fondamentalement non
violente. (J'insiste une dernière fois : le rejet
de la violence est *nécessaire* mais il ne doit
pas aveugler : le « laisser-faire » une violence
barbare peut être évidemment bien plus
brutal qu'une saine violence d'opposition.) La
désobéissance civile – terme qui fut joliment
créé pour référer au refus de quelques intellectuels américains de payer une taxe pour
financer la guerre contre le Mexique – est
donc une piste de plus en plus sérieusement
considérée dans le champ écologique, ou
plus généralement chez ceux qui prennent
conscience de l'ampleur de la catastrophe
et de l'immensité de l'enjeu. Elle devient
indispensable quand les forces politiques ne
jouent plus leur rôle anticipatoire. Quand
elles perdent la mesure de valeurs qui sont
intrinsèquement supérieures à leurs repères
usuels : non pas au sens d'une morale révélée,
évidemment toujours réfutable, mais en celui

de ce qu'elles sont la condition de possibilité de toutes les autres valeurs. Si le combat pour la vie est perdu, tous les autres deviennent obsolètes. Ce qui ne signifie évidemment pas que celui-ci doive être mené au détriment de toute éthique, bien au contraire. Il est intrinsèquement, presque ontologiquement, éthique ! Gardons-nous pourtant, par précaution, de toute essentialisation.

Il y a peu, des panneaux publicitaires lumineux ont été déployés dans certaines stations de métro parisiennes. Objets hyper-énergivores (et infiniment disgracieux) utilisés pour nous inciter à un mode de vie toujours plus consumériste et donc lui-même énergivore. Double aberration. Double aliénation. Évoquant cette absurdité symbolique, certains de mes éminents collègues, chercheurs en astrophysique, fort respectables et usuellement si modérés, déclaraient publiquement lors d'un festival, dans un mélange d'exaspération et d'indignation : « N'est-il pas maintenant nécessaire de détruire ou, au moins, de débrancher systématiquement ces panneaux » ? Faut-il les blâmer pour cette petite délinquance annoncée face au grand banditisme d'un système qui tue sans même avoir conscience de sa morbidité ? Peut-on ne pas poser ces questions ?

Dans le même temps, et de façon plus signifiante, la ministre de l'Environnement canadienne demande une protection rapprochée, après avoir été la cible de menaces caractérisées. Au Brésil, on estime que ce sont plus de 50 militants écologistes qui sont tués chaque année pour leur tentative de sauvegarder la forêt-monde. Infléchir le train tel qu'il est lancé ne sera pas simple.

Je crois qu'il faut que nous cessions de faire les « fines gueules ». Amoureux d'astrophysique théorique – mon métier – et de philosophie phénoménologique – ma passion –, j'ai une certaine propension à adorer les détails, les infimes, les nuances, les pensées paradoxales. J'aime l'étrange et j'aime jouer à retourner les évidences. Je continuerai d'écrire des textes complexes sur des sujets complexes. Parfois même, en conscience, de déformer un peu le réel pour la beauté de l'essai créatif. Mais pas ici. Le problème, ici, est relativement simple.

Nous n'avons plus le droit de l'ignorer ou de le rabattre sur nos propres attendus. On ne peut pas faire entrer cette question démesurée dans des matrices trop étriquées pour elle. Ne parlons plus de l'« érosion de la biodiversité ». C'est d'un « crime de masse » ou d'une « extermination orchestrée », dont les auteurs et les causes sont connus, qu'il est aujourd'hui question. Ces derniers mots ne sont pas excessifs, ils sont précis ; ce sont les premiers qui sont édulcorés au point de confiner à la tromperie.

L'IPBES (la Plateforme intergouvernementale sur la biodiversité et les services écosystémiques) annonce dans son dernier rapport qu'un million d'espèces sont maintenant menacées d'extinction à court terme. Les chercheurs appellent à des « changements politiques, sociaux, économiques, et technologiques profonds ». Les preuves sont accablantes. Il y est souligné que « le tissu vivant de la Terre essentiel est interconnecté, s'effiloche ». On apprend également, dans le rapport très documenté, que la dégradation des sols a fait baisser de 23 % leur productivité, que les trois quarts de l'environnement terrestre sont impactés en profondeur par les humains, que la disparition des pollinisateurs devient critique, que 75 % des ressources en eau douce sont consacrées à l'agriculture ou à l'élevage, que la pêche est en régime de surexploitation drastique, que la pollution par le plastique a été multipliée par dix depuis 1980, tandis que les zones urbaines ont doublé depuis 1990.

Imaginons un mythe, un film ou un livre où nous nous trouverions en situation d'observateurs « extérieurs ». Nous découvririons l'existence d'une espèce, intellectuellement bien dotée, capable parfois de créations remarquables et d'actes de bravoure étonnants et qui pourtant – sur des échelles de temps dérisoires – s'acharnerait à détruire l'ensemble de l'écosystème dans lequel elle évolue, contaminerait durablement l'eau, l'air, les sols, empoisonnerait ses semblables, refuserait tout infime effort en décidant sciemment que sa descendance devra souffrir d'invraisemblables maux, créerait des situations dont elle sait qu'elles engendreront famine et guerre, effondrerait les populations dans presque toutes les branches du vivant, réifierait les autres êtres sensibles avec lesquels elle partage son espace, moquerait les quelques activistes qui alertent sur l'état du désastre, s'acharnerait à prendre des mesures liberticides quant aux initiatives solidaires et sociales, mais refuserait la régulation de la folie consumériste et prédatrice. Quel mélange de mélancolie et de révolte nous gagnerait-il face à ce tableau ? Il nous semblerait sans doute que si nous étions plus que des spectateurs, que si nous étions des acteurs de ce monde, jamais – évidemment jamais ! – nous ne laisserions cette douloureuse absurdité advenir.

Pour résumer les axes possibles d'un activisme fractal, je considérerais :

1. Dimension politique (inciter par le vote à des mesures fortes, immédiates et efficaces ; ne plus déléguer notre pouvoir à quiconque ne pense plus le monde à travers le prisme de la primauté de la vie ; ne plus faire nos choix sur le seul critère de nos intérêts à court terme ; inventer de nouveaux moyens de pression ; assumer que la question du monde que nous

voulons est fondamentalement politique et doit être discutée comme telle).

2. Dimension économique (sortir de la croissance aveugle ; inventer des modes de partage inédits ; ne pas se reposer que sur le seul levier fiscal qui est nécessairement injuste ; indexer l'économie aux finalités qui la dépassent ; ne pas se contenter de micro-ajustements qui ne peuvent pas suffire).

3. Dimension éthique (hiérarchiser les changements essentiels immédiats : opter pour une alimentation végétarienne, renoncer aux déplacements déraisonnables, choisir une consommation locale ; boycotter les entreprises les plus nuisibles ; mettre en acte dans le microcosme nos désirs pour le macrocosme ; envisager des alternatives plus sobres ; penser l'altérité au-delà de la tolérance).

4. Dimension symbolique (casser les archétypes mélioratifs de la « réussite matérielle » ; ringardiser les comportements agressifs ; reconnaître la valeur héroïque de certaines résistances ; valoriser l'infime et l'ici).

5. Dimension psychologique (questionner le carcan réducteur d'un ascétisme matériel

présenté comme triste ; réfléchir à l'immense plus-value que constituerait une révolution écologique en termes de bénéfices pour la liberté, la sérénité et la richesse des êtres-à-l'autre ; envisager que ce qui serait ressenti comme une perte de confort suivant le prisme de l'Ancien Monde pourrait devenir un profond réenchantement suivant de nouveaux fondamentaux).

6. Dimension démographique (comprendre que ce n'est *pas* le problème principal, que pérenniser un système mortifère en allégeant la pression démographique n'est *pas* une solution ; intégrer le lien fondamental entre modération démographique et progrès sociaux).

7. Dimension mythologique (écrire un nouveau mythe, cette fois tourné vers l'avenir, et déconstruisant la figure devenue délétère de l'homme-dieu tout-puissant).

8. Dimension philosophique (ne plus penser le hors-soi comme une simple ressource ; inventer une logique non binaire ; construire une approche continuiste et ramifiée ; déconstruire les vieilles hégémonies et hiérarchies érigées en socles arbitraires).

9. Dimension poétique (travailler la matrice de la langue qui, aujourd'hui, ne permet pas de penser adéquatement l'immensité de la crise et empêche l'émergence de lignes d'être imprévues ; contribuer à la recherche, à tout instant, de la possibilité d'un ailleurs, avec une bienveillante radicalité ; inventer une grammaire qui ne ferme pas toute épiphanie révolutionnaire avant même son éclosion).

10. Dimension sémiotique (prendre à bras-le-corps la question des régimes de signes et les critères d'évaluation pour inventer d'autres schèmes qui renversent certains de nos « classements » ; apprendre à déchiffrer les traces et les indices du monde « autre qu'humain » que nous avons jusqu'alors réifié).

11. Dimension technique (travailler aux innovations bienvenues en gardant en tête qu'elles ne peuvent pas être une solution globale au problème systémique que nous traversons ; ne pas négliger le coût écologique du numérique ; prendre garde aux effets rebond).

12. Dimension axiologique (tenter d'élaborer des valeurs communes qui permettent de conformer l'organisation sociale à nos désirs plutôt que l'inverse mais qui, dans le même temps, ne pensent plus la nature comme un réservoir de richesses qui peut être infiniment assujettie).

13. Dimension taxinomique (oser voir la superficialité de nos catégories et ignorer la nullité vulgaire de beaucoup d'attaques « anti-écologistes » témoignant de la panique des plus irrationnels et réactionnaires).

14. Dimension sociologique (unir les efforts pour la vie : de nouvelles connivences, alliances, solidarités émergent et soulignent la sororité des luttes qui sont aujourd'hui à mener ; inventer des alliances surprenantes et détonantes ; travailler sans relâche à convaincre les sceptiques).

15. Dimension aléthique (oser être subtil : rappeler la vérité incontestable du désastre aux menteurs et aux manipulateurs, mais rappeler aussi l'infinie complexité des solutions aux *fact-checkers* naïfs qui cherchent des réponses trop simples à des questions abyssales).

16. Dimension énergétique (consommer moins ; utiliser des énergies plus propres ; mais garder en tête que même une énergie parfaitement non polluante – ce qui n'existe pas – aurait actuellement des effets dévastateurs de par son simple usage).

17. Dimension médiatique (donner l'importance qui lui est due à la guerre contre la vie en cours, ne pas – pour le plaisir d'un débat qui en réalité n'existe pas – surreprésenter les négationnistes climatiques ; informer quotidiennement sur l'évolution des paramètres essentiels ; interroger sans frein les prétendues évidences ; ne plus réagir au déluge d'invectives « écolophobiques » qui ne ridiculisent plus que leurs auteurs).

18. Dimension scientifique (relater sans relâche le message consensuel et alarmant des scientifiques ; soutenir la recherche, non seulement en climatologie, mais aussi autour de l'exploration patiente de la compréhension du vivant ; ne laisser en aucun cas les prêtres du miracle technologique réclamant toujours plus de fuite en avant techno-délirante se faire passer pour les défenseurs de la science ;

continuer de douter et demeurer humbles car même les idées qui nous déplaisent sont parfois justes).

19. Dimension artistique (soutenir inconditionnellement les explorations d'autres modes du réel ; envisager toutes les révisions et refontes ; laisser pulluler les possibles même quand ils dérangent).

20. Dimension statistique (diffuser les chiffres vrais des rapports d'experts pour en tirer les conséquences à leur démesure ; mais en parallèle rompre avec la logique comptable : la mort d'êtres vivants sensibles n'est pas « compensable », pas « réversible »).

21. Dimension ontologique (sortir de l'essentialisation des régimes de violence et de domination ; travailler à une pensée du commun qui dépasse la logique de la tolérance ou de l'indulgence ; considérer une métaphysique du multiple ; ne plus voir comme donné et inévitable un ordre que nous avons construit et qui pourrait être autre ; renoncer à n'interpréter et ne penser le monde qu'à travers une unique grille de lecture, quelle qu'elle soit).

22. Dimension praxéologique (ne plus reporter toujours – systématiquement et sans fin – la responsabilité sur l'autre : autre personne, autre industrie, autre pays, autre espèce, autre temps, autre milieu… ; accepter de faire face à nos propres incohérences pour y travailler sereinement et efficacement ; déployer également l'effort dans l'environnement professionnel).

23. Dimension sémantique (ne plus se laisser museler par les interdits des gardiens du temple vide ; braver le diktat de « l'écologiquement correct » et oser nommer la violence avec violence ; défier le carcan d'un langage qui supporte implicitement une inertie mortifère).

24. Dimension critique (lutter pour les libertés et solidarités aujourd'hui mises à mal par certaines dérives autoritaristes ; lutter dans le même temps contre les libertés de prédation décomplexée qui obèrent la possibilité d'un avenir ; n'avoir pas peur de questionner chaque *habitus*).

25. Dimension métaphysique (au-delà de tous les « petits gestes », de tous les militantismes, de tous les engagements, de toutes les résolutions, de tous les activismes, de

tous les ascétismes : travailler sans relâche à l'exploration d'une autre manière d'habiter et d'inventer l'espace ; la révolution peut être enthousiasmante et même jubilatoire si nous l'adossons à une métaphysique de l'amour).

26. Dimension géographique (oser intégrer le sidérant niveau de prédation matérielle et spirituelle exercé par l'occident – au sens large – sur le reste du monde et construire un devenir écologique qui ne rejoue pas la carte d'une leçon donnée à ceux qui, tout au contraire, devraient « nous » instruire.)

Ces quelques recommandations sont sans conteste naïves. Elles ne constituent qu'une ébauche d'ébauche de la fractalisation qui me semble indispensable. Que chacun complète et enrichisse ces pistes suivant l'expérience de son propre rhizome. Et surtout : n'ayons pas peur d'inventer un tout autre monde, bien au-delà du « petit ajustement » qui ne serait ni souhaitable ni suffisant, qui manquerait cette occasion unique de faire enfin face aux innombrables violences et injustices qui nervurent notre histoire.

ÉPILOGUE PRESQUE
PHILOSOPHIQUE

Nous n'avons jamais été heureux.

Le monde n'a jamais été doux, harmonieux et apaisé. Les passés idylliques sont de purs fantasmes. La nostalgie du jardin d'Éden est un leurre naïf et presque dangereux.

Pourtant, la violence froide et insidieuse de notre temps ne peut pas ne pas frapper. Violences aux réfugiés, violences aux précaires, violences aux femmes, violences aux minorités, violences aux manifestants, violences à l'espoir, violences à chaque ébauche de différence... Et, bien évidemment : violences à la vie, à la nature, à l'avenir. Désastre écologique avéré, désastre éthique suspecté, désastre esthétique consommé.

Face à l'extinction massive en cours, il serait vital de nouer de nouvelles alliances, d'inventer des solidarités impromptues, de voir émerger d'inévidentes connivences, de travailler aux modes de partage. Le temps devrait être au déploiement d'un activisme « fractal » qui affronte l'immensité disséminée de la méta-crise en cours. Tout au contraire, fleurissent partout le repliement identitaire, la crainte de l'étranger et de l'étrangeté, la peur de l'altérité, la folie consumériste et technocratique, le désir simultané de soutenir les libertés prédatrices et d'endiguer les libertés émancipatrices.

Reste le choix d'être poète.

La poésie n'a rien à voir avec la beauté. Moins encore avec le charme mièvre de quelques douces métaphores ou de tendres allégories. Elle n'est ni un divertissement ni une distraction. La poésie, c'est la précision. La poésie, c'est à la fois la maîtrise souveraine de la grammaire, l'humble soumission à la syntaxe, et le droit – presque le devoir – de pourtant réinventer la langue à chaque strophe.

La poésie, c'est l'implacable nécessité d'un agencement qui déconstruit en respectant. C'est le choix d'une immense cohérence locale conjuguée avec une espiègle errance globale.

Se faire poète ici, ça ne signifierait évidemment pas nécessairement écrire des vers. Cela engagerait avant tout à travailler la matrice sémantique et sémiotique pour ouvrir au questionnement tous les construits que nous avons confondus avec des données.

La résistance poétique est intransigeante. Elle se dessine au scalpel. Elle est rigoureuse et pointilleuse. Elle cherche à connaître et à comprendre. Elle n'ignore rien des règles ni des codes. Elle débute par une exploration patiente et savante du réel.

Mais elle s'autorise aussi à *tout* interroger. Elle n'a pas peur de l'ailleurs. Elle n'est pas contrainte par les carcans d'une pensée héritée. Elle tente d'exister, c'est-à-dire de s'extraire, de se désarrimer. Elle ose remettre en cause ce qui n'était jusqu'alors pas même questionnable. Elle jubile face à l'incroyable.

Tenter aujourd'hui « d'infléchir » notre fonctionnement systémique pour entamer une

« transition » n'a aucune chance de fonctionner et ne présente aucun intérêt fondamental.

C'est l'entièreté de notre manière d'habiter l'espace, de hiérarchiser nos priorités, d'envisager nos réjouissances, de condamner nos agressions, de considérer nos alter ego humains et non humains qu'il faut revoir. C'est d'une révolution qu'il est question. Comment cesser de voir la nature comme une simple ressource ? Comment penser au-delà de nos intérêts à court terme ? Comment outrepasser notre propension à confondre des choix contingents avec un ordre nécessaire ? Et plus profondément encore, comment renverser le sens même de ce qui est indûment ressenti comme mélioratif ? Le défi est immense, incommensurable à tout autre.

Le poétique s'invite dans le jeu, non pas au titre de décoration ou de raffinement mais en tant qu'élément essentiel : sans redéfinition des attentes et des possibles, les évolutions demeureront dérisoires. Les violences les plus insidieuses et les plus dangereuses sont presque toujours celles qui n'ont pas encore été identifiées comme telles. Il faut être poète pour penser hors de l'ordre et déceler l'arbitraire de ce qu'une tradition pluriséculaire fait nécessairement apparaître comme inéluctable.

Si nous restons prisonniers de nos vieux critères, il n'y aura aucune issue. Remettre en cause la croissance illimitée, la prédation décomplexée, la xénophobie revendiquée, l'indifférence assumée, l'arrogance affichée demande bien plus qu'une évolution : il s'agit de changer de paradigme. C'est toute notre image du monde qui est ici en jeu. Il ne saurait être suffisant, ni même signifiant, d'inventer de nouvelles manières de satisfaire nos vieux démons : il est vital de réenchanter un tout autre « habiter l'espace ». Qui ne renie ni les savoirs ancestraux ni les découvertes scientifiques. Mais qui s'autorise – à titre expérimental – toutes les ruptures, toutes les fractures. La langue n'est pas neutre : renommer la croissance du PIB en « taux de divergence suicidaire » aurait sans doute quelques conséquences sur nos ressentis, nommer crime systémique notre décision implicite de n'offrir aucun avenir vivable à nos enfants pourrait éveiller quelques consciences. Les mots comptent.

Le poète ne se laisse pas intimider par la dictature malveillante d'une pensée oppressive qui tue chaque possible alternative avant même son éclosion. Comprendre et clamer que le réel pourrait être autre, esquisser l'inchoatif des ramifications avortées, exhiber les modes des mondes manqués constitue le cœur dur de la poésie en acte.

Le poète refuse l'unicité du prisme. Même s'il est révolutionnaire, même s'il est solidaire, même s'il est salutaire. User d'une seule grille de lecture relève nécessairement d'une atrophie radicale. Le subtil démissionne dès que le pullulement est réfuté. Le monde est « plus d'un » de dedans et la pensée échoue tout autant quand elle gomme la multiplicité que quand elle omet la déconstructibilité.

Les résistances poétiques doivent maintenant se disséminer, se déterritorialiser, se chaotiser, se diffracter et s'infecter mutuellement. Il est question d'écriture mais aussi de pensée, de regard, de ressenti, de geste, d'engagement, de désir, de plaisir. Le vivre poétique est tout sauf triste, étriqué et nostalgique. Il est transgressif, précis et aventureux, par essence. Il peut aussi devenir enchanteur, libérateur et salvateur. Par choix.

Notre culture s'est structurée autour du fantasme de l'Ordre. Nous avons passionnément aimé classifier le réel, perçu au travers du prisme d'une Unité supérieure ou cachée. Pour le meilleur et pour le pire. La métaphysique traditionnelle, dont nous sommes les héritiers, a scindé le monde suivant des oppositions binaires, généralement adossées à une hiérarchie implicite : culture contre nature, homme contre femme, croire contre savoir, humains contre animaux, raison contre folie, présence contre absence, parole contre écriture…

Aujourd'hui, la méta-crise à laquelle nous faisons face échappe à nos vieilles catégories. La situation est scientifiquement et éthiquement extraordinairement angoissante. Elle est aussi intellectuellement extrêmement excitante : nous avons l'occasion – poussés par une nécessité vitale – d'inventer un Nouveau Monde. Il faut tout redéfinir, nous n'avons plus le choix. Peut-être serait-il temps, enfin, de n'avoir plus peur du multiple et du chaos[1]. De dépasser les grands ordres transcendants ou immanents (mis en mots, notamment, par Leibniz et Kant) qui, toujours, assujettissent le « hors » à un « autour », qui rabattent l'altérité sur une ressemblance.

Une forme d'ingénuité gagnerait, je crois, à être aujourd'hui retrouvée. Une manière de ne plus chercher de prétextes face aux solutions évidentes. Nous souhaitons ne pas détruire la nature, la vie sur Terre (et donc ne pas nous suicider). Nous souhaitons éradiquer la pauvreté. Et nous sommes de plus en plus nombreux. La solution évidente (et unique) serait à la portée d'un enfant de 5 ans, mais nous n'osons pas la voir en face : le partage. La pensée dite rationnelle a perdu son chemin.

Nos catégories, nos critères, nos valeurs ne sont pas donnés et immuables. Ils sont réfutables. Notre liberté de redéfinition

---

1. Ici, naturellement, je ne me réfère pas au chaos nuisible que serait une Terre dévastée, mais au chaos fécond d'une pensée ouverte.

est immense et il faut nous en emparer aujourd'hui plus que jamais. Rien ne s'oppose – aucune force économique, aucune puissance politique – à ce que nous réinventions les concepts, les mots, les lignes de pensée qui font sens. Nous sommes libres de nos émois. Et ils déterminent, finalement, toute la morphologie du monde que nous habitons.

Une chose est certaine : il est impossible de continuer sur la trajectoire actuelle. Qu'on le veuille ou non, ça ne durera pas. L'inquiétude qui se dessine ici est aussi une chance sans précédent. Forcés par les circonstances, nous avons tout à réinventer. S'il ne s'agissait que de prolonger un peu l'agonie – par quelques fulgurances technologiques –, de trouver des subterfuges pour jouir une dernière fois de notre toute-puissante arrogance, l'effort n'aurait aucun intérêt. Mais il peut s'agir d'une opportunité unique sur le plan social, politique, économique, esthétique... tout peut être remis à plat. Un vertige jubilatoire des possibles se fait jour à l'arrière-plan de la catastrophe.

Il n'est pas question de faire table rase du passé. L'humanité a produit des chefs-d'œuvre et a acquis d'extraordinaires connaissances. Le point de rupture que nous atteignons n'est ni un point de rebroussement ni un retour à la case départ. Il est une discontinuité. Tout peut advenir.

Le pire, sans aucun doute, mais aussi le meilleur. Les dominations insidieuses (sociales, sexistes, racistes, etc.) peuvent être déconstruites dans le même geste que celui qui impose de révolutionner notre être-à-la-Terre. Et ces clivages mêmes pourraient être interrogés. Les catégories du langage imposent une matrice sur le réel qui n'est jamais neutre. N'ayons pas peur de cette révolution. Elle peut dévoiler un immense paysage hors du chemin que nous parcourrions. Elle peut contribuer à ouvrir sur une économie de l'amour en lieu et place d'une gestion de la finance.

L'amour n'est pas qu'un ressenti, il est une exigence. Il impose une réinvention constante de ce qui se donnait pour acquis. Il requiert un « vers l'autre » qui excède la logique de la gestion. Il est toujours, nécessairement, profondément révolutionnaire. Peut-être ne s'agit-il que d'apprendre – enfin – à aimer.

La singularité de ce temps tient à ce que l'initiative ne vient ni des philosophes, ni des artistes, ni des politiques. Pas même des scientifiques. Elle émerge du monde. Du monde lui-même, en lui-même, dont nous sommes pourtant un élément, mais qui nous impose ce renouveau radical, dans toutes les sphères de l'action et de la création. Le paradoxe est à la démesure de l'enjeu.

Je crois que tout réside maintenant dans un nécessaire renoncement à cet impérialisme intellectuel – décelable au sein de toutes les civilisations – qui a grevé les possibles du passé, sans pourtant renier l'existence tangible d'une factualité externe. Si le poète est celui qui sait entrevoir ce qui n'avait pas encore été imaginé, qui sait que l'existant s'invente en même temps qu'il se découvre, l'avenir sera poétique ou ne sera pas.

Trouver des concepts, penser à partir du commun, redéfinir le cadre même du réel, revoir toute notre taxinomie, embrasser ce qui effrayait, interroger les frontières, renverser les symboles, imaginer l'impossible, conjurer nos angoisses… La tâche est immense et le temps presse. Si le génie humain existe, c'est ici et maintenant qu'il doit se manifester.

Table des matières

Composition
PRESS·PROD

impression réalisée par
CPI
en mai 2020

Ce livre est imprimé en France,
par un imprimeur soucieux de préserver
l'environnement à travers des actions
d'économies d'énergie, de valorisation des
déchets, d'utilisation de produits moins
nocifs pour la santé des travailleurs.

Dépôt légal : mai 2020
N° d'impression : 3039336
ISBN : 978-2-7499-4263-6
LAF : 2778BIS